NASPEL

CLAIRE TRISTRAM

Naspel

Roman

Vertaald door Miebeth van Horn

J • M • MEULENHOFF
IMMER • MET • MOED

Oorspronkelijke titel *After*

Vormgeving omslag Mariska Cock
Omslagfoto Amana Europe Ltd Photonica / Image Store
Foto achterzijde omslag Ellen Zensen
Vormgeving binnenwerk Adriaan de Jonge

www.meulenhoff.nl
ISBN 90 290 7481 7 / NUR 302

Voor Bernie Asbell

De drempel van het heiligdom der liefde ligt hoger dan die van de reden. Om die drempel te kussen moet je bereid zijn je leven als munten te verstrooien.

– HAFIZ

1

Naarmate de dag dat haar man een jaar dood was dichterbij kwam, werd het haar steeds duidelijker dat ze weg moest zijn. Zijn familie zou die dag bellen, om te troosten en getroost te worden, en ze zouden een labiele vrouw aantreffen. De kranten zouden een uitspraak van haar willen, iets om hun lezers de bevrijdende loutering te bieden die alleen een stoïcijnse, treurige weduwe kon geven. Maar ze kon niet langer stoïcijns en treurig zijn. Dag voor dag, maand na maand was haar verdriet onbewust subtiel veranderd, tot wat restte niet eens meer verdriet was, maar iets wat ze alleen als begeerte kon beschrijven. Ze at met haar vingers. Ze sliep naakt. Boodschappenbezorgers wonden haar op.

Aan het eind van dat koude jaar had ze besloten om met een man weg te gaan. Ze had hem voor het eerst aan de andere kant van een handelsbeurs naar haar zien kijken. Toen ze elkaar die avond bij een van die benauwde congresfeestjes waren tegengekomen, had hij haar met de huilerige begeerte van een schooljongen gekust. Bereidwillig, en toch ook weer niet, had ze hem weggestuurd. Om hem twee weken later op te bellen. Ze gunde hem een afspraak. Ze had op aanbeveling van haar rouwbegeleidster een hotel uitgekozen, een plaats die aan haar behoeften voldeed, aan de kust van de Stille Oceaan, drie uur rijden van waar iemand die haar kende haar zou kunnen vinden. Ik moet er even uit, zei ze tegen haar agent, die knikte en opmerkte dat hij altijd al had gezegd dat ze weer te snel aan het werk was gegaan.

Het was al donker toen ze het hotel bereikte. Het was een oud, hol gebouw dat duidelijk betere tijden had gekend, op een klif met uitzicht op zee, overgeleverd aan de elementen op een landtong twee kilometer ten noorden van de dichtstbijzijnde stad. Het parkeerterrein was leeg. Ze parkeerde vlak voor de deur en bleef in de auto zitten, zich vagelijk afvragend of er een piccolo zou zijn. Toen er niemand verscheen, stapte ze uit en tilde ze zelf haar zware tassen uit de kofferbak. Ze reed ze de foyer in, een holle, lege ruimte met een donker gewreven houten vloer en een grote, zwartgeblakerde haard in het midden. Er brandde geen vuur. De achterwand van de foyer, aan de zeekant, was van glas. In het koude donker van de vroege avond spiegelde het oppervlak als obsidiaan. De wieltjes van haar tassen ratelden over de houten vloer. Achter de balie zat een man op een draaistoel haar in stilte gade te slaan. Hij keek op en glimlachte breed toen ze hem had bereikt, alsof ze hem volkomen had verrast en niet met haar tassen over de vloer was aan komen ratelen. Hij liet haar contant betalen. Ze had niet anders verwacht. Het leek wel of je de laatste tijd op steeds minder plaatsen met iets anders dan harde munt kon betalen. Ze pakte haar sleutel aan, bedankte hem, en sleurde haar tassen door gangen die zich in alle richtingen leken af te splitsen, tot ze de deur vond waar haar nummer op stond. De kamer zelf was redelijk schoon. Hij zou de volgende ochtend arriveren. Plotseling overvallen door vermoeidheid ging ze op de rand van het bed zitten. Ze had alles wat ze in zich had moeten aanspreken om tot hier te komen. Ze was werkelijk trots op zichzelf dat ze had volgehouden. Het was niet eenvoudig geweest. Maar waarvoor? Ze vermeed het om in een van de spiegels te kijken. In plaats daarvan keek ze naar haar twee koffers naast de deur. Wat kon ze in vredesnaam hebben meegenomen? Ze kon het zich niet herinneren. De wil om uit te pakken ontbrak haar. Ze nam een douche en ging toen weer op het bed zitten, ditmaal in een handdoek gewikkeld, luisterend naar het druppelende water in de badkamer. Ze zouden haar bellen. Haar moeder. Haar zussen. Haar zwager. Ze had de stekker van het antwoordapparaat uit het stopcontact gehaald. Haar telefoon zou rinkelen, rinkelen en rinkelen, en na een tijdje zouden degenen die haar hadden gebeld en geen antwoord hadden gekregen elkaar gaan bellen en vragen: waar is ze? Wat is er gebeurd?

Om die gedachte van zich af te zetten, kleedde ze zich weer aan en verliet de kamer, dwaalde door de gangen tot ze de foyer had teruggevonden, en de eetzaal. De gastvrouw was te jong voor haar werk. Ze zag eruit alsof ze op een verkleedpartijtje was en de jurk van haar moeder aanhad.

'Eén persoon?' vroeg het meisje.

Ze knikte en werd door de eetzaal geleid, de wanden bekleed met fluwelen gordijnen en zonder een vermoeden van een uitzicht op zee, alleen het weerspiegelende zwart van de ramen op het westen. De gastvrouw hield stil bij een tafel voor zes personen en trok een stoel met een fluwelen zitting onder de tafel vandaan.

'Ik haal even de kaart voor u,' zei ze, en ze liep weg.

Ze ging zitten en keek rond. Op elke tafel stond een klein lampje met een smoezelig roze kapje met franje. Ik ben in een *film noir* beland, dacht ze.

De eetzaal was vrijwel leeg. De enige anderen in de zaal waren een man in een net pak en een veel jongere vrouw die samen aan één kant van een tafel zo'n vier meter verderop ijs aten en wijn dronken. Ze wierpen een vluchtige blik op haar en vergaten haar daarna weer. De man tikte dronken met zijn lepel de neus van de vrouw aan en liet een dikke lik vanilleijs achter. Hij leunde naar haar over en kuste hem eraf. Het meisje lachte en probeerde hem met gelijke munt te betalen, maar hij hield haar tegen met een dikvingerige greep om haar pols. Hij trok de polsen van het meisje naar zich toe en kuste haar opnieuw, ditmaal op haar mond. Het meisje deed alsof ze zich verzette en gaf zich toen over. Waarom liet ze dat toe? Zo in het openbaar? Zo ruw? Ze voelde dat ze bloosde en keek weg, naar het aquarium vlak bij haar tafel. Een vis miste een oog. Haar honger verdween. Ze wilde weg. Ze zag op tegen de lange wandeling door de hele ruimte.

In de verte aan de andere kant van de eetzaal waren twee kelners door de klapdeuren die naar de keuken leidden binnengekomen. Ze stonden nu met hun rug naar haar toe aan een lange tafel servetten op te vouwen. Hun stemmen droegen ver door de lege zaal.

'Mijn neef zegt dat iedere vent op de buslijn diezelfde rode puistjes heeft,' zei de kleinste van de twee. 'Niemand kan het verklaren. Kleine rode puistjes. Hier. Op hun armen.'

'Een soort uitslag,' zei de grootste. 'Ik heb het op de radio gehoord.'

Ze voelde een fladdering van paniek opkomen. Moest ze met een kuchje hun aandacht proberen te trekken en dan met een gebaar om een menu vragen? Naar hen toelopen? Weer naar haar kamer gaan? Ze had thuis moeten blijven. Ze had een van de bezorgers moeten kiezen. En niet zo'n ingewikkeld plan dat uiteindelijk net zo smerig en zinloos zou zijn. Ze stond op, plotseling geagiteerd, haar stoel schraapte over de kale vloer en vulde de ruimte met een verontrustend geluid. De geliefden keken op van hun ijs. De kelners keken op van hun servetten. Ze stond daar en keek toe hoe de kleinste glimlachend op haar afliep.

'Waarmee kan ik u van dienst zijn?' vroeg hij.

Ze ging weer zitten.

'Ik wil graag weten wat de dagschotels zijn,' zei ze. Ze bloosde omdat ze zo gepijnigd klonk, zo bijna in tranen.

'Natuurlijk. De dagschotels.'

Hij haastte zich weg, terug naar de keuken. Misschien moest hij bij de kok naar de dagschotels informeren. Ze ging weer zitten. De geliefden stonden op om te vertrekken. De hand van de man met de dikke vingers rustte onder het lopen tegen de nek van zijn jonge geliefde.

'Cesar kan de klere krijgen,' hoorde ze hem zeggen toen hij passeerde.

De woordkeus van de man paste niet bij zijn toon, die zo vlak en emotieloos klonk als een opgenomen boodschap die eindeloos was teruggespoeld en opnieuw afgespeeld. Hij streelde de nek van zijn geliefde. Ze keek naar hen en vroeg zich af wat ze ervan moest denken. Het stel verdween uit zicht. Ze keek naar het tafellaken voor zich. Ze raakte het bestek aan. Ze had het altijd moeilijk gevonden om te bepalen waar ze haar ogen op moest richten als ze alleen at.

De kelner kwam terug met een menu.

'Er zijn vandaag geen dagschotels, mevrouw,' zei hij.

Ze bestelde een salade en thee. De prijs van de salade was exorbitant, maar ze snakte naar verse, rauwe groenten en was bereid er flink voor te betalen. Onder het eten dacht ze aan kussen, en aan uitslag. Ze wist helemaal niets van de man die morgen kwam. Niets. Hij had een gezicht dat je tegenwoordig in elke krant kon tegenkomen. Diepliggende ogen. Een jonge, reebruine huid. De huid van een martelaar. Ze probeerde zich voor te stellen wat ze had gedaan als haar echtgenoot haar had proberen te kussen zoals haar toekomstige minnaar, de man die ze morgen zou zien, haar had gekust.

Maar haar man was dood, en ze kon het zich niet voorstellen.

2

Later, terug in haar kamer, beangstigd door de zompige fluisteringen die uit de zee opstegen, merkte ze dat ze in een vertrouwde, rusteloze melancholie verzonk, in zo'n wanhopige eenzaamheid dat ze het gevoel had in een gapend gat te vallen. Om zichzelf te redden opende ze kasten en laden tot ze vond waar ze naar op zoek was: hotelbriefpapier, beschimmeld maar bruikbaar. Blij dat ze weer een doel had ging ze zitten aan het schrijfbureau in de hoek. Ze hield de pen stevig vast, popelend om te beginnen, maar legde hem toen weer neer. Wat viel er nog te schrijven? Met haar vingers trok ze de uitgebeten kringen na die in het hout waren achtergelaten door andermans glazen, en ze betrapte zich erop dat ze dacht aan de andere rusteloze, smoezelige ontmoetingen die hier hadden plaatsgevonden, in deze zelfde kamer, en ze voelde zich minder eenzaam dan daarvoor. Ze zat een hele tijd stil, en ten slotte begon ze te schrijven.

'Schat,' schreef ze, en streepte het door, want zo had ze hem toen hij nog leefde nooit genoemd.

'Liefste. Liefje. Gisteravond zat ik naar een kookprogramma te kijken. De kok tilde een vork op en liet zijn gast iets klefs en zoets proeven. Ik begon te huilen. Niemand steekt nog een vork in mijn richting uit. Ik kan maar niet vergeten hoeveel je voor me betekent. Mijn rouwbegeleidster zei dat ik je helemaal moet opschrijven. Ik weet niet zeker of dat een louterende of een verlossende oefening is. Ik doe tegenwoordig meestal wat me gezegd wordt zonder er al te veel vraagtekens bij te plaatsen.

Welaan. Ik zal gekwetste of geëxalteerde gevoelens, openbaringen, sentimentaliteiten, erotische piekervaringen en andere keerpunten weglaten. Al die dingen heb ik al eens behandeld en het zijn ook precies de dingen die ik naar alle waarschijnlijkheid niet zal vergeten. Ze houden zelfs zonder buitengewone maatregelen stand. Het zijn de alledaagse gebeurtenissen die gevaar lopen om uiteen te vallen. Ik herinner me de avocado. Het enige zaad dat we met succes aan het groeien hebben gekregen nadat hij met tandenstokers doorboord op de vensterbank was gezet. We bekeken ons kleine wondertje elke dag opnieuw. Uiteindelijk plantten we hem in de voortuin. We groeven een belachelijk groot gat voor zo'n klein plantje. Het was een middag in de nazomer. We groeven tot onze nagels zwart van de aarde waren. Een kind in de buurt zat bij een open raam piano te spelen. Ik denk dat het een kind was omdat ik me kan herinneren dat alsmaar dezelfde paar maten van een liedje werden herhaald die elke keer weer uitmondden in dezelfde fout, waarna *Chopsticks* werd gespeeld; en net op één van die momenten, precies aan het begin van *Chopsticks*, kwam onze buurman over het trottoir voorbij, je weet wel, die kerel die tientallen jaren ouder dan wij was, oeroud, die man die altijd met gewichtjes in zijn handen voorbij het huis kwam powerwalken. Alleen had hij die keer zijn gewichtjes niet bij zich. Hij stopte voor ons huis en schraapte zijn keel tot we naar hem keken – hij moest wel kuchen om onze aandacht te trekken omdat we nooit elkaars namen te weten zijn gekomen – en hij zei: "Kijk jullie twee nou toch. Jullie lijken me echt een stel operaliefhebbers. Ik heb twee kaartjes voor *Fidelio* die ik probeer kwijt te raken." Hij stak de kaartjes naar ons uit. En al dacht je voordien en daarna nooit over opera na, je voelde je door zijn onnodige ruimhartigheid op je eergevoel aangesproken en zei: "Maar natuurlijk betalen we ze." En na wat heen-en-weergepraat haalde je je portefeuille tevoorschijn en betaalde hem, waarna hij vertrok. Daarna hebben we hem nooit meer zonder zijn gewichtjes gezien. En daar stond je, met de kaartjes in je bemodderde handen naar me te grijnzen, zo blij alsof je de footballpool op kantoor had gewonnen. We hadden nauwelijks tijd om de aarde weg te douchen, ons te verkleden en de stad in te rijden, waar we op het hoogste balkon zaten en keken naar een opera waarin een vrouw haar man uit de gevangenis helpt ontsnappen. Tijdens dat hele drama daar ver beneden ons, zo adembenemend ver beneden ons dat ik het gevoel had dat ik op het toneel zou kunnen neerstorten, liet je je hand op mijn rechterdij rusten. Ik denk dat ik deze herinnering heb uitgekozen vanwege de opeenvolging van toevallig samenhangende gebeurtenissen, te beginnen bij een vruchtbare avocadopit. Nu zie ik dat ik in die tijd in een wereld leefde waar elke gebeurtenis op een gelukkige, blije manier verbonden was met wat er onmiddellijk aan vooraf was gegaan, in een ononderbroken keten die terugging tot aan je vroege jeugd. Het is een manier om de wereld te ordenen die heel aardig werkt zolang er niets gebeurt waardoor dat alles aan de kaak wordt gesteld. Ik merk dat ik nog steeds grotendeels zo denk, zelfs nu nog. Maar als je bedenkt hoeveel ik wel niet moet hebben overgeslagen. Die avond moeten we samen hebben gedoucht, want er was niet veel tijd voor iets anders. Misschien heb jij mijn rug gewassen. Misschien heb je mijn jurk dichtgeritst. Je genoot van dat soort eenvoudige intimiteiten tussen echtgenoten. Ik kan het me niet herinneren. We zijn de trap vast hand in hand met twee treden tegelijk opgerend om op tijd bij onze plaatsen te komen. Er zijn andere trappen die ik met jou bij andere gelegenheden heb beklommen, zoals die oeroude stenen treden die we in de buurt van Cancún beklommen, ook hand in hand, waar jij mij ook voorging en zo snel liep dat ik dacht dat ik nooit meer op adem zou komen. Zie je wel hoe mijn verstand erop staat om verbanden te leggen tussen gebeurtenissen die geen enkele oorzakelijke connectie hebben, behalve dat het herinneringen zijn waarin treden een rol spelen? We hadden die dag genoeg van de stranden van Cancún en we huurden een auto en reden naar het westen het oerwoud in, op zoek naar ruïnes. We vonden ze zonder problemen, grote piramides die naast de enige weg in de omtrek lagen opgestapeld, omgeven door vervallen lemen bouwsels van veel later datum. Het hele gebied zag er eerder uit als een goedkoop attractiepark dan als het echte werk. De Mexicanen leken het spelletje mee te spelen. Zodra we uitstapten, doken uit het niets twee jongens op die een leguaan omhooghielden. Hij was even groot als de kleinste van de twee jongens, degene die de staart van het beest vasthield. Jij wilde aardig voor ze zijn. Later zou je me vertellen hoe zwaar het moest zijn om een Mexicaanse jongen te zijn met niets anders dan een leguaan om te verkopen. Ik weet nog dat ik dacht, wat een geluk dat ik erbij ben, want anders kocht mijn man nog uit medelijden die hagedis. De lucht was heet en overvol van het geluid van krijsende insecten. Een bus vol gepensioneerden uit Florida arriveerde en deed een stofwolk opwaaien. We liepen achter hen aan over het pad naar de ruïnes. Twee vrouwen vlak voor ons klaagden over de hitte. Hun echtgenoten liepen erachter hun Spaans te oefenen: "*Una cerveza, por favor. Una mas, por favor.*" Gevolgd door een hoop klappen op de wederzijdse ruggen. Het is me in de loop der jaren vaker opgevallen dat mannen in hun jeugd en op hoge leeftijd veel op elkaars rug slaan. Toen kwam er een eenling in een bermuda naast ons lopen. Hij leek ons als een deel van de attractie te beschouwen. Hij vroeg ons allerlei intieme details over onze huwelijkse staat en ons drugsgebruik, ontsproten aan zijn uitgesproken en rotsvaste ideeën over jonge Amerikaanse stellen die hij in Mexico was tegengekomen. Jij verhoogde het tempo en hij raakte achterop. Je nam me mee naar de voet van een stenen piramide waar we de trappen beklommen alsof we aan een crisis wilden ontsnappen. We klommen door tot we zelfs de fitste van die geriatrische Floridianen achter ons hadden gelaten en weer alleen waren. De treden werden heel hoog. Ik ging gebukt onder het tempo dat jij voor ons bepaalde. Uiteindelijk stegen we op tot in die volmaakte blauwwitte nevel die je alleen ziet als je op een onbewolkte dag naar de hoogste plek in de omtrek klimt. Hoger konden we niet komen, dus gingen we zitten. Je sloeg je arm om me heen. We bleven een hele tijd zitten kijken naar groepjes mensen die beneden stonden gerangschikt, we keken naar hun kruinen die in groepjes van twee, drie, zes bijeenkwamen en dan weer uiteenvielen en zich dan weer op een andere manier rangschikten. We hoorden daarboven niets anders dan de wind. Het was geen krachtige wind. Maar niettemin vulde hij in die stilte je oren en overstemde elk bijkomstig geluid, en op de een of andere manier bezorgde hij me de kalme zekerheid dat ons leven betekenis en structuur had. Ik moest denken aan de anderen die hier in het verleden hadden gezeten, op deze plek waar wij nu zaten, ook met die wind om hun oren. Toeristen uit Japan. Offermaagden. En nu wij, een ex-katholiek en een jood die van elkaar hielden en dit moment met elkaar deelden. Ondanks al onze verschillen voelde ik me op dat moment met jou en met de hele wereld tot aan het begin der tijden verbonden. Ik had het gevoel dat we elkaar door en door begrepen, dat we als uit één lichaam ademden en dezelfde gedachten hadden. Na een tijdje zei je iets. Je vertelde dat je sinds we die ochtend waren opgestaan al scènes uit *Full Metal Jacket* van Stanley Kubrick in je hoofd had. Je kon het niet plaatsen. Waarom zat nou juist *Full Metal Jacket* van Stanley Kubrick zo in je hoofd? Je nam aan dat het iets te maken had met het gevoel dat je in een vreemd land zat, ver van huis, waar je de gewoonten niet van kende. Je commentaar liep op ruzie uit. Ik liep alleen omlaag. Aan de voet van de piramide kocht ik een ketting van groene zeepsteen. Ik wachtte bij de auto op je. Je nam er de tijd voor.

En wat ik me nu herinner, liefje, is de laatste keer dat we samen waren. Ik kwam als eerste van mijn werk thuis en was op ons bed gaan liggen om heel even uit te rusten, zonder de moeite te nemen mijn kleren uit te trekken. Ik was van plan om over een paar minuten op te staan en het eten klaar te maken. Echt, ik geloof dat ik niet eens mijn schoenen had uitgetrokken. Ik gebruikte mijn hand als kussen in plaats van het echte kussen, omdat ik vast van plan was om zo weer op te staan. Maar ik viel in slaap. Het spijt me. Het spijt me zo verschrikkelijk. Je ging de volgende ochtend vroeg weg en moest die avond lang doorwerken om je op je reis voor te bereiden, en tegen de tijd dat je thuiskwam, was ik diep in slaap, maar ik werd net genoeg wakker om te merken dat je me langzaam en liefdevol uitkleedde, me omdraaide en mijn kleren uittrok zoals je dat bij een klein kind zou doen dat in slaap is gevallen, tot ik helemaal naakt was, en nog steeds deed ik net of ik sliep, omdat ik heel erg moe was en ik niet op die manier naar je verlangde. Ik voelde je warmte toen je je over me heen boog. Ik hoorde je ademhaling haperen. Maar ik was heel moe en ik speelde voor dode tot je zuchtte en me teder met de dekens bedekte en naast me kwam liggen en je arm om mijn middel sloeg. Je viel eerder in slaap dan ik, en we vrijden die nacht niet. Nu is het hier heel donker, mijn allerliefste, en laat, te laat om me nog iets te herinneren.'

Ze legde de pen neer en stapte in het bed, maar heel voorzichtig, omdat ze de keurige vouwen, de volmaaktheid van dit bed, niet wilde verstoren. Voor het eerst viel het haar op dat ze nog steeds aan één kant van het bed sliep, alsof ze op hem wachtte. Ze voelde de koelte van de lakens en de verschrikking van zijn afwezigheid, en het drong tot haar door dat ze zijn gezicht volkomen vergeten was.

3

Hij zat op de tribune van de schoolgymnastiekzaal naar de volleybalwedstrijd van zijn dochter te kijken, met zijn vrouw naast zich. Geschreeuw weerkaatste tegen de wanden. Iemands knie drukte tegen zijn rug. Zijn eigen knieën streken langs de rug van de man voor hem. Voordat ze die avond de deur uit waren gegaan, had zijn vrouw een lintje op zijn overhemd gespeld. Ze had er zelf ook een op, net als de anderen op de tribunes. Kleine lusjes van lint, in verschillende kleuren. Ze hadden er allemaal een. Hij had zachtjes in de hand van zijn vrouw geknepen. Dat andere, zijn plan voor morgen, zat in zijn hoofd, maar dan niet in woorden, meer als een fantoomhuivering die vanuit zijn kruis naar zijn hoofd opsteeg en daar vrijkwam in een soort rilling, een voorbijgaande angst, een verschuiving in het licht rond zijn hoofd. Hij was blij dat hij op een plek was waar hij af en toe kon schreeuwen en op zijn knieën slaan zonder uit de toon te vallen.

Hij keek naar de vrouw naast zich, zijn echtgenote, zijn eigen echtgenote, die naast hem ten volle genoot in haar rol van lang en gelukkig gehuwde vrouw, en hij dacht aan de vormen van andere vrouwenborsten die hij eens had gekend. Hij herinnerde zich nog steeds dat de borsten van de eerste vrouw met wie hij naar bed ging iets klonterigs hadden, zodat je steeds het gevoel had dat je een linnen zak met knikkers streelde. Anderen voelden aan als zacht gebak. Eén vrouw had voordat ze zich uitkleedde verteld dat ze implantaten had, een idee dat hij tegelijk fascinerend en afstotelijk vond; haar borsten hadden aangevoeld als luxe leren bekleding. En dan waren er de geslachtsdelen in al hun verscheidenheid: sommige plat en efficiënt; andere volumineuze venusheuvels die naar hem omhoogreikten en onder het copuleren tegen hem aan bonkten. Hij dacht aan elk van deze vrouwen, stuk voor stuk, en probeerde te bepalen of de vorm en textuur van die geslachtsdelen in een of ander opzicht hun innerlijk had verraden. Toen hij jong was, had hij aangenomen dat vrouwen altijd naar hem toe zouden komen, onophoudelijk en zonder enige inspanning van zijn kant. In plaats daarvan waren ze, afgezien van zijn vrouw, opgehouden aandacht aan hem te besteden toen de crisis in zijn land tot een bevredigend eind was gekomen en Amerikanen niet langer in gevaar waren. Van de ene op de andere dag was hij geen mysterie meer en was zijn aura van iets verbodens veranderd in iets saais, onaantrekkelijks en seksloos.

Tot deze vrouw, zijn toekomstige minnares, hem uit een menigte op de beurs had geplukt en hem weer het gevoel had gegeven dat hij begeerlijk was. Aanvankelijk had hij haar aangezien voor een manager. Ze droeg een mantelpak, een zakelijk ogend marineblauw pakje van goede kwaliteit. Ze lachte en vertelde hem dat ze actrice was, een soort actrice in elk geval, geen al te beste, af en toe een reclamespotje toen ze jonger was, maar wat ze vooral deed was praatjes afsteken op beursstands, presentaties waarbij ze vaak niets wist van de producten die ze aanprees. Ze koesterde geen wrok tegen de wereld. Ze was goed in haar werk. Mensen namen haar serieus in die rol. Ze was erg in trek. Het was niet echt wat ze van het leven had verwacht, maar wat was dat wel? Hij was geroerd door haar verhaal. Ze leek haar lot te omarmen. Hij had nog nooit een actrice ontmoet. Voordat ze elkaar kusten, vroeg hij of ze getrouwd was. Ze zei van niet, maar op een manier die hij niet helemaal overtuigend vond. Ze was niet op haar gemak en bloosde gauw, niet bedreven in de rol van ontrouwe geliefde. Dat gaf niet. Hij zou haar geheimen wel leren kennen. Uit zijn portefeuille haalde hij foto's van zijn vrouw en kinderen, en al doende vroeg hij zich af of dat een ritueel was dat andere getrouwde mannen ook hadden gevolgd. De ceremonie van het foto's laten zien. Hij was vast niet de eerste. Hij nam aan dat er regels waren voor dit soort dingen. Misschien kende deze vrouw de regels. En juist toen, terwijl ze naar zijn kleine collectie familiekiekjes zat te kijken, was haar blos weggetrokken en kreeg ze een zelfverzekerde blik in haar ogen. Misschien hoorde het ontbreken van een overtuigend antwoord over een echtgenoot wel bij de hele act. Ze bekeek ze vluchtig en gaf ze weer terug, niet langer geïnteresseerd. Ze waren nog maar een paar minuten in gesprek, maar inmiddels had het kleinste gebaar van haar kant al het vermogen hem diep te roeren. Haar naam was hem bekend voorgekomen. Had ze misschien in een film of een toneelstuk gespeeld waar hij over had gehoord? Nee, nee. Gegeneerd wuifde ze zijn vraag weg. Later, toen ze hem toestond zich tegen haar lichaam aan te drukken en haar borsten onder haar blouse te voelen, maakte het hem nauwelijks meer wat uit waarom ze hem bekend voorkwam; ze was een vrouw. Na hun afscheid bleef haar naam hem in zijn hoofd achtervolgen, als een klein wolkje. Hij doorzocht de stapels oude tijdschriften van zijn vrouw tot hij had gevonden wat hij zocht: haar naam, een foto van haar achter een microfoon omgeven door mensen met een kaars in hun hand. Haar gezicht was abrikooskleurig, verlicht door de kaarsen en de innerlijke gloed van stoïcijnse dapperheid. Hoe heel anders dan het gloeiende, wilde gezicht dat hij in het donker had gekust. En toch hetzelfde. Toen hadden haar motieven simpel geleken. Nu hij wist wie ze werkelijk was, waren haar motieven afgrijselijk gecompliceerd geworden. Dat was de weg van alle dingen: van orde naar chaos. En toch, het besef dat ze zo getroffen was, dat ze onder zulke extreme omstandigheden weduwe was geworden, maakte dat ze hem nog dierbaarder werd. Hij vroeg zich af of deze weduwe in hem ook een leemte had bespeurd, een gat, een tragedie die opgelost en geheeld moest worden, zoals hij dat in haar had bespeurd. Haar haren waren donker en niet blond, zoals hij zich in zijn fantasieën de haren van een clandestiene geliefde had voorgesteld. Haar borsten waren klein. Ze was pezig en gespierd, jongensachtig. Ze moest hem hebben herkend als een mede-lijder. Zulke mensen zijn getekend, had hij lang gedacht. Ze konden elkaar in een menigte opsporen, simpel door op hun instinct af te gaan. Zij had hem herkend. Zo zat het. Hij stond met het tijdschrift in zijn hand en wreef met zijn duim over het gezicht op de foto, in een poging om iets onder het gezicht van de vrouw die hij had leren kennen te onderscheiden. Daarna legde hij het tijdschrift omzichtig weg en keek er niet meer naar om.

En toen had ze hem gebeld. Bij hem thuis, ademloos indiscreet, had ze hem gebeld en ze hadden een plan bedacht, terwijl zijn dochters ergens in een uithoek van het huis ruzie aan het maken waren en zijn vrouw kleren in de wasmachine aan het stoppen was, vlak aan de andere kant van de open deur naar de keuken waar hij stond. Hij had de telefoon achteloos opgenomen, in de veronderstelling dat het een vriendin van een van zijn dochters was, en bleef toen als aan de grond genageld staan, verlamd door haar stem, niet voorbereid op haar stem, met zijn ogen op de kleine wijzer van de keukenklok aan de muur gericht, omdat hij naar iets tastbaars moest kijken opdat hij als zijn vrouw of dochters zouden verschijnen hen niet met een van schuld vertrokken gezicht zou aanstaren. Een plan werd bedacht. En sindsdien had hij in twee lichamen gehuisd: één dat dit normale leven voortzette, en één dat duizelig werd bij de aanblik van iets moois: een boomblad, een vogel, zijn vrouw, zijn dochter die net op het veld beneden hem naar de bal reikte. Elk moment leek onuitsprekelijk mooi en een bedreiging voor zijn welzijn tegelijk.

Hij zou haar morgen zien.

Zijn vrouw ontdekte een vriendin op de tribune boven hen en stond op om te wuiven. Hoe gaat het met je? mimede ze. Ze was de enige vrouw die met lippenstift op en een rok aan naar een wedstrijd van haar dochter kwam kijken. Ze ging weer zitten, haar heup drukte dichter tegen hem aan dan eerst, en ze wierp hem een blik toe die hij niet kon duiden. Kon ze het weten? Was dat mogelijk? Een fluitsignaal, een gevorkte kreet, en iedereen kwam overeind toen een meisje dat naar de bal dook hem miste en niet meer overeind kwam. De anderen dromden rond het geblesseerde meisje samen. De coach rende het veld op. Na wat geagiteerde vragen – Is het je enkel? Kun je staan? – kwam het meisje overeind en hobbelde het veld af. De toeschouwers op de tribunes applaudisseerden kort en gingen weer zitten. De wedstrijd ging verder. Zijn dochter keek ernstig, geconcentreerd op de taak om te winnen. Nu en dan wierp ze een steelse blik naar boven waar haar ouders zaten, en vooral naar haar moeder, met wie ze medelijden had. Voor hun dochter zouden ze altijd buitenlanders blijven. De lippen van zijn vrouw, met haar donkerrode lippenstift, bewogen terwijl zij zich naar hem toe boog om iets te zeggen dat hij niet verstond. Ze gebruikte make-up als redding, als emancipatie. Ze ging nooit zonder de deur uit. Een hijab had nooit haar hoofd bedekt. In sommige opzichten was ze mooier dan degene die hij ging opzoeken.

Helaas slaagde het team van zijn dochter er niet in om te winnen. Op weg naar huis zat ze zachtjes op de achterbank te huilen.

'Ik snap niet waarom je huilt,' zei zijn vrouw. 'Het is maar een spel. Je hebt je best gedaan. Daar gaat het om.'

Het was hem, zoals wel vaker, onduidelijk of zijn vrouw in haar eigen platitudes geloofde of alleen maar wilde dat hun dochter erin geloofde.

'Zeg jij het dan,' zei ze tegen haar man. 'Praat alsjeblieft met onze dochter.'

Hij probeerde de woorden van zijn vrouw, de tranen van zijn dochter te bevatten. Hij vond ze beiden onbegrijpelijk, een deel van een leven waar hij zich al van had losgemaakt. Hij dacht aan de volgende dag. Aan de aanraking van de weduwe. Aan haar handen onder zijn overhemd. Het drong tot hem door dat zijn vrouw zat te wachten tot hij iets zei.

'Het is maar een spel,' echode hij. 'Je hebt je best gedaan.'

Ze leken er allebei tevreden mee.

'Ik hou de meisjes morgen thuis van school,' kondigde zijn vrouw aan. 'Ik vind dat jij niet zou moeten reizen. Het is geen goede dag om te reizen. Het zou voor iedereen beter zijn als je tegen hen zegt dat je niet kunt. Dat doen ze nou altijd, jou vragen de dingen te doen die niemand anders wil doen.'

Haar handen friemelden aan zijn haar, zijn kraag. Hij duwde haar weg, met een glimlach, zijn ogen op de weg gericht.

'Morgen is een heel geschikte dag om te reizen,' zei hij.

'Juist jij zou moeten weten hoe de dingen van het ene op het andere moment kunnen veranderen,' zei zij.

Dat wist hij ook. Niettemin duwde hij haar opmerking met bestudeerde vergeetachtigheid in zijn hoofd weg, zoals hij haar hand had weggeduwd.

Die avond lag ze met haar rug naar hem toe gekeerd in bed, nog steeds geërgerd omdat hij had geweigerd voor haar wijsheid te buigen. Maar ze maakte geen bezwaar toen hij zijn arm over haar heen legde. Ze was bobbelig en zoet en warm, net een peer. Hij hield van haar.

Hij viel makkelijk in slaap en droomde niet.

4

Uiteraard was ze naar een rouwbegeleidster gegaan. Het bedrijf van haar man had de kosten voor zijn rekening genomen. De begeleidster was een beigeachtige dame, met haar dat paste bij de sproeten op haar gezicht en armen. Ze droeg zonder uitzondering een vormloze jurk van lichtbruine crêpe. De begeleidster leunde altijd voorover op haar stoel en fixeerde haar cliënten met haar vaalbruine ogen op een manier die eerder bijziendheid dan betrokkenheid verried. Bijna alsof ze op zoek was naar haar bril en niet echt zat te luisteren. Niettemin had de begeleidster haar hoop gegeven. Ze had haar zelfs iets te doen gegeven. Ze moest haar gevoelens elke dag in een dagboek opschrijven. De laatste tijd hadden die notities de vorm van brieven aangenomen. Ze ontdekte dat ze haar man dingen kon vertellen waarover ze het nooit had gehad toen hij nog leefde, nu hij er niet meer was om haar te onderbreken, te troosten, haar iets anders te laten voelen.

'Hoe voel je je?' had de rouwbegeleidster gevraagd.

Ze wilde antwoord geven. Er moest een gepast antwoord zijn in dit soort situaties. Ze wilde niet al te emotioneel zijn; ze hoopte dat ze een beredeneerd antwoord kon geven, iets wat het de begeleidster makkelijker zou maken om haar te helpen. Ze richtte haar aandacht naar binnen en sloot haar ogen, niet alleen om aan de weloverwogen blik van de begeleidster te ontkomen, maar ook om het weefsel van haar gevoelens te onderzoeken. Hoe voelde ze zich? Ze hoorde haar eigen stem in haar hoofd schreeuwen: je moest je schamen. Ken je dan helemaal geen schaamte? Steeds weer opnieuw. De stem had waarschijnlijk iets te maken met de merkwaardige situatie waarin ze zich bevond: een jonge weduwe in een land vol mensen die haar allemaal wilden helpen. Mensen zoals haar zwager, die haar een paar dagen terug heel toevallig op haar mond had gekust – wat immers in zijn familie de gewoonte was, alleen had haar zwager zijn tong heel even licht langs haar lippen laten strijken, zelfs in een kamer vol wederzijdse familieleden; de boodschap was niet mis te verstaan, en die luidde: jawel, ik weet dat je verdriet hebt, en geloof me, wat je ook maar nodig hebt, ik sta voor je klaar; en ze had haar lichaam voelen reageren, wat een residu van schaamte had nagelaten dat door elke andere gedachte heen lekte en er een vlek op achterliet. Nu ze erover nadacht, had haar zwager wel iets van de kleurstelling van deze rouwbegeleidster, met zijn lichtbruine haar en lichtbruine ogen en een sprenkeling van sproeten over zijn neusbrug. Hij was te veel en te vaak in haar gedachten geweest en om de een of andere reden was hij haar ook in werkelijkheid gaan stalken. Nou nee, niet stalken. Dat was een te sterk woord. Maar hij kwam wel langs om boodschappen voor haar te doen, om te zien of ze nog iets nodig had, of er in huis iets moest worden gerepareerd, of er een of andere mannenklus moest worden verricht waarmee hij haar van dienst kon zijn. En intussen maar verontrustend veel op zijn overleden broer lijken. Er was niets tussen hen gezegd. Er hoefde niets te worden gezegd, sinds de tong. Zijn niet aflatende vriendelijkheid gaf alle ruimhartige gebaren iets goedkoops en pornografisch. Zijn vrouw, een trotse huisvrouw met een vlekkeloos aanrecht, nodigde haar regelmatig uit om sabbat te vieren, ze kwam zomaar eens langs om schoon te maken of boodschappen te doen en ze was al even vrijgevig met haar man, die ze aanmoedigde om zijn best te doen de arme weduwe door deze moeilijke tijd heen te helpen. De echtgenote had zichzelf gevonden door zich aan de religieuze rituelen te houden en was vervolgens de wil kwijtgeraakt om onaangenaamheden die haar dagelijks leven konden binnensluipen onder ogen te zien. Of misschien had ze eenvoudig genoeg van de natte, behoeftige aanvechtingen van haar man en wilde ze slechts dat hij voor de afwisseling eens de lakens van een ander besmeurde. Dat was moeilijk uit te maken.

'Zeg eens iets,' zei de rouwbegeleidster.

Ze keek hoe de handen van de rouwbegeleidster zich zachtjes sloten en openden en dacht aan alle andere bedroefden die deze bank hadden gesierd, met de rouwbegeleidster tegenover hen. De begeleidster leunde naar voren en wachtte met toegeknepen ogen op een antwoord.

'Ik voel me beklemd door alles wat beige is,' antwoordde ze.

De handen van de begeleidster staakten hun ritmische openen en sluiten.

'Wat betekent beige voor je?' vroeg ze.

'Nou ja, je weet wel. Beige. Lichtbruin. Gebroken wit.'

'Ga door.'

'Huid,' zei ze. 'Vieze lakens.'

Ze werd bevangen door een manische uitgelatenheid.

'Haar. Sperma. Zand. Vieze tanden. Spekvet.'

'Heel goed,' zei de begeleidster, die haar gezicht niettemin tot een geforceerd neutrale uitdrukking had geplooid, alsof ze wist dat er met haar werd gesold. Of misschien dacht ze wel, omdat ze begeleidster was en geen therapeute, dat deze diepe, psychologische associaties buiten haar competentie vielen en wilde ze er geen commentaar op geven om te voorkomen dat ze haar cliënt op het verkeerde been zou zetten.

'Heel goed,' zei de begeleidster. 'Volgende week wil ik meer over die gevoelens horen.'

Ze knikte en glimlachte terug. 'Dank je wel,' zei ze, 'echt heel hartelijk bedankt.' Ze stond op en verliet de kamer, sloot de deur achter zich, liep door een wachtkamer vol vrouwen met gebruikte zakdoekjes in hun hand, langs het damestoilet en door de hal tot ze bij de liften kwam. Om een hoek, uit zicht, ging haar ademhaling over in een langgerekt, haperend gehijg – stond ze op het punt om in huilen of in lachen uit te barsten? Ze deed allebei, maar pas toen de liftdeuren zich achter haar hadden gesloten en zij naar de begane grond suisde.

In hun laatste sessie, de sessie waarin al haar problemen grootscheeps in één blij akkoord zouden eindigen, had de begeleidster gevraagd of ze al eens over een nieuwe relatie had nagedacht.

'Een relatie?' had ze gevraagd.

'Ja. Een relatie.'

'Een relatie. O ja. Inderdaad. Ik denk erover om een islamitische minnaar te nemen,' had ze geantwoord.

Ze zei het om deze vrouw te prikkelen, om verknipt

te zijn, om pervers te zijn. Maar misschien niet helemaal. Zelfs toen voelde ze zich niet zo zeker van zichzelf. Ze voelde dat ze een waarheid nabij was. Ze werd beantwoord met de neutrale gezichtsuitdrukking. De rouwbegeleidster was erop getraind om geen oordeel te vellen, en daar was ze heel goed in. De randen van haar oogleden leken zich van elkaar te verwijderen, alsof ze het knipperen wilde onderdrukken.

'Denk je dat dat een gezonde stap is?' vroeg de rouwbegeleidster.

Een intense irritatie kwam in haar op. Ze had onder ogen leren zien dat sommige dingen nooit meer goed kwamen. Ze had hoe dan ook niet de behoefte om zichzelf te genezen. De barsten zouden altijd zichtbaar blijven. Ze zou nooit meer de oude worden. Deze rouwbegeleidster en al die anderen verwachtten dat ze weer van klei zou worden, terwijl ze van lucht was. Wat was in zo'n situatie verstandig? Ze vroeg zich af wat haar man zou hebben geantwoord. Niet dat hij zich zou hebben verwaardigd om bij zo'n sessie aanwezig te zijn. Hij was sterk. Sterker dan zij. Hij was de sterkste.

'Schei toch uit met die onzin,' zei ze. 'Na dit uur zien jij en ik elkaar nooit meer terug. Er is geen enkele reden om net te doen of de wijsheid van mijn beslissingen jou ook maar in de verste verte iets aangaat.'

Ze had onmiddellijk spijt van haar woorden. Ze stelde zich voor dat ze de begeleidster zouden kwetsen en ervoor zouden zorgen dat ze ging twijfelen aan zichzelf en aan haar motieven om dit soort werk te doen, werk waarbij ze voortdurend gehechtheid moest veinzen tegenover emotioneel beschadigde mensen. En om dan de bittere, onbuigzame hopeloosheid van haar beroep door een cliënt voor de voeten geworpen te krijgen. Dat moest pijn hebben gedaan. Het speet haar dat ze dat soort pijn had toegebracht. Maar kijk aan: de begeleidster keek waarachtig uitgesproken vreugdevol, met een trek van 'ik laat me niet kennen' op haar minzame gezicht. Ze was onkwetsbaar. Niemand kon haar laten lijden.

'Het is heel natuurlijk om dat gevoel te hebben,' zei de rouwbegeleidster. 'Maar natuurlijk blijf ik ook in de toekomst hopen dat het steeds beter met je gaat. We zijn allemaal op dezelfde reis.'

Het was zo overduidelijk het afrondende praatje dat haar niets anders restte dan de rouwbegeleidster de hand te schudden, zich door haar in een warmvoelende omhelzing getrokken te voelen worden, haar te bedanken en het beste te wensen.

Niettemin bleef het idee om een islamitische minnaar te nemen in haar gedachten hangen. Om iets zo onverwachts te doen, iets wat zo buiten de rol viel die ze door haar omstandigheden opgedrongen had gekregen. De gedachte werd een gewoonte, een onschuldige fantasie, maar wel een die zo diep verborgen zat, ook voor haarzelf, dat hij haar telkens opnieuw verraste als ze zich erop betrapte dat ze naar een man met een donkere huid keek. Waar dan ook. In de bibliotheek. In het winkelcentrum. Op haar werk. Ze sprak nooit met deze mannen. Evenmin noemde ze hen in de brieven aan haar man, die ze nog lang nadat haar sessies bij de begeleidster waren geëindigd plichtsgetrouw was blijven schrijven. De mannen, haar gedachten over hen, betekenden niets.

En toen kwam hij tot haar.

5

De volgende dag, tijdens de lange rit naar zijn toekomstige minnares, keerde hij in de geest terug naar de vertrouwde plaatsen en hij liet de herinneringen komen. Een herinnering achtervolgde hem al tientallen jaren, als een chronische pijn, iets wat zo natuurlijk was geworden dat het bijna draaglijk werd, en toen het draaglijk was geworden, kon het bijna worden vergeten. Een warme middag in september toen hij nog jong was, zo jong dat hij er nog niet aan gewend was om zichzelf een man te noemen. Hij droeg een zelfgemaakt spandoek en liep in een menigte jongeren zoals hij, op weg naar een plein in de stad, waar deze menigte tegenover de militaire politie kwam te staan. Niets was te vergelijken met het volmaakte blauw van die middag. Als hij aan die dag terugdacht, dwong hij zichzelf eerst die vreugde op te roepen van vlak voordat het geweld losbrak. Hij dwong zichzelf het gevoel terug te halen dat hij had gehad, het gevoel dat er warm leven door zijn aderen stroomde, een besef dat zo vitaal was dat het zijn ledematen vervulde van een doelgerichtheid waarvan hij zich nu voorstelde dat het vervoering moest zijn geweest. Maar dat deel van de herinnering was er misschien later laag voor laag aan toegevoegd, tot dat wat er echt was gebeurd en dat wat hij zich herinnerde onherstelbaar met elkaar verweven waren geraakt. Het was onmogelijk uit te maken hoe de herinneringen aan die middag in de loop der jaren waren geëvolueerd, door al die keren dat hij ze seconde voor seconde had doorgenomen, in een poging te begrijpen op welke manieren het anders had kunnen aflopen. Op die dag had naast hem zijn beste vriend gelopen, een lange, magere jongen met een dikke zwarte bril, die aëronautiek studeerde. Geen van beiden waren ze serieus met politiek bezig. Het was echter de tijd en de plaats om een spandoek te dragen. Er hingen grote veranderingen in de lucht die hun longen met uitgelatenheid vulden. Toen vielen er schoten, al was zelfs dat, hield hij zichzelf voor, een bewerking van zijn herinnering; wat hij in feite had gehoord, was een reeks knallen die op dat moment geen speciale betekenis voor hem hadden gehad. En toen lag zijn vriend ruggelings op de aarde. De handen van zijn vriend bleven zich nog een ogenblik openen en sluiten. Soms meende hij zich ook te herinneren dat de bril van zijn vriend nog op zijn neus stond, maar wel een beetje scheef. De laatste tijd was hij er echter aan gaan twijfelen of zijn vriend eigenlijk wel een bril op had gehad. In die paar ogenblikken was zijn land voor altijd voor hem verloren gegaan, al drong ook dat feit pas in de loop der jaren langzaam tot hem door. De enige herinnering waar hij eigenlijk helemaal zeker van was, was deze: de precieze bewegingen van de handen van zijn vriend toen hij eenmaal op de grond lag. Deze flarden herinnering waren hem overal blijven achtervolgen, als een derde kind, een kind dat veel ouder, veel dwarser en veel intiemer met hem verbonden was dan zijn dochters ooit waren geweest. Hij was zich ervan bewust dat zelfs deze stukjes herinnering aan hem trokken en zijn besef van het leven verminderden; hoe ze gemaakt hadden dat hij het voorzichtige, sombere slag man werd dat hij in zijn jeugd zo had veracht. Sinds die dag op het plein had hij onderzoek gedaan. Hij probeerde vanuit een objectief standpunt te begrijpen wat er was gebeurd, een inzicht in de gebeurtenissen van die dag draaide tenslotte niet om hem alleen. Het was moeilijk. In documenten die over die tijd waren geschreven, was de waarheid met feiten verdoezeld, en de feiten waren niet te vertrouwen. Sommige bronnen zeiden dat er die middag honderden waren gestorven. Volgens anderen achtenzestig. Van één wist hij het maar zeker.

Tegen die tijd, toen hij ruim twee uur op weg was, hadden zijn bespiegelingen over het verleden elke gedachte aan de toekomst weggevaagd, en de vrouw naar wie hij op weg was, maakte nauwelijks deel uit van zijn besef. Na een korte bocht in de weg reed hij langs de zee, een reusachtige vlakte van grijs op grijs, ver onder hem. De weg liep langs de rand van het klif. Nu de horizon zich plotseling had geopend, werd zijn nostalgie in een volmaakt andere richting meegezogen. Zijn eerste echte herinnering aan de zee dateerde van de keer dat hij met zijn ouders naar de Kaspische Zee ging, toen hij nog maar een kleine jongen was. De tocht duurde uren, een slingerende, martelende pelgrimage door de bergen over een éénbaansweg op de uiterste rand van steile kliffen. Zijn moeder – wat had hij van haar gehouden! – had hem tussen twee oudere zussen geplant voordat ze haar plaats had ingenomen voorin naast zijn vader, een galante man, behalve als hij achter het stuur zat. Op die dag had zijn vader er om een of andere reden genoegen in geschept om vrachtwagenchauffeurs en andere automobilisten uit te dagen, als een dolle te claxonneren en meer dan zijn deel van de weg in beslag te nemen. Zijn vader leek er lol in te hebben om zijn eigen gezin te tergen door in de haarspeldbochten zo dicht mogelijk langs de afgrond te rijden, tot de jongen begon te huilen en met zijn ogen dicht in de tegengestelde richting ging hangen, wellicht omdat hij dacht dat zo'n tegengewicht het verschil tussen leven en dood zou uitmaken. Zijn vader had gelachen. Af en toe doemde er naast de weg of in een van de bergspleten het wrak van een auto of een vrachtwagen op, waardoor de jongen alleen nog maar angstiger werd en er meer van overtuigd raakte dat hun hetzelfde lot wachtte. Toen kwam de Kandavantunnel. Een paar seconden verder die gapende mond in was alle hitte en daglicht verdwenen, en de jongen was begraven in een onaangename kou die in zijn huid doordrong. Ten slotte gloorde er een puntje hoop en daglicht, en ze doken aan de andere kant weer op, waar alles zonnig en groen was, en vol leven; en dan plotseling de zee. Als volwassen man besefte hij, als hij op die dag terugkeek, dat het strand zelf niet veel had voorgesteld. Het uitzicht werd vrijwel geheel weggenomen door schreeuwerig roze en groen geschilderde betonnen muren. De golven kabbelden ternauwernood over de oever. Het water zelf was een teleurstelling, met de kleur van bier en bedekt met een laag schuim. Maar de jongen had verrukt langs dat strand gerend, overweldigd door het besef dat hij nog leefde; dat hij de tocht had overleefd en dat hij er nog was, en dat de zee hem hier tegemoet kwam. Hij rende langs het water en merkte dat hij dacht dat hij eb en vloed aan zijn voeten kon bedwingen, dat alleen de bewegingen van zijn armen de loop en het ritme van de golven vormden, van waar zij over zijn voeten spoelden tot aan de verste oever, tot Rusland aan toe. Hij wist zeker dat hij met het kleinste handgebaar de vaste patronen van het water kon onderbreken, als hij dat wenste. Hij beproefde zijn overtuiging niet, omdat hij ervan overtuigd was. Hij had geen proef op de som nodig. Een dwaze kinderfantasie, die even snel was vervlogen als zij was opgekomen, om later terug te keren als een herinnering, had de vraag opgeroepen hoe de jaren en uren zijn geloof in zichzelf en zijn vermogen om te voelen zo hadden ingeperkt. Pas toen het benzinelichtje begon te branden, stond hij zichzelf toe om weer uit zijn dromerijen boven te komen en aan iets anders te denken.

6

Aan dit stuk weg langs de zee waren maar weinig dorpjes en ontbraken benzinestations kennelijk geheel. Hoe kon hij toch zo onattent en stom zijn om vrijwel door zijn benzine heen te raken? Hij reed de berm in om een kaart te bestuderen.

Toen hij de motor eenmaal had uitgezet, ebde zijn spanning weg. Hij maakte nu tenminste niet het kleine beetje benzine dat hem nog restte op. De wind beukte op zijn auto. De motor pingelde en zong. Hij ontvouwde traag de kaart, om het moment dat hij alle hoop om haar ooit te bereiken moest laten varen voor zich uit te schuiven. Af en toe waren er legervrachtwagens langsgekomen. Een bus. Hij zou het geluk hebben dat er algauw iemand kwam die hem een lift kon geven naar een benzinestation. Hij kon het nog steeds halen. De kaart lag nu vlak uitgespreid op het stuur. Met zijn vinger trok hij de route van hem naar haar na.

Minstens honderd kilometer.

Hij zou nooit op tijd zijn.

Een auto reed in noordelijke richting voorbij. Te laat om hem aan te houden en om hulp te vragen.

Hij wist niet wat hij moest doen. Hij keek naar buiten en zag dat zich rechts van hem, voor zijn raampje op het westen, een onafzienbaar veld uitstrekte, met rijen doornige bladeren die tussen richels aarde omhoogstaken, met daarachter het geglinster van zonlicht op de zee. Aan de overkant van het veld onderscheidde hij een man op een tractor, die een pluim van geelgrijs stof deed opwaaien. Verderop zwoegde een onregelmatige rij mannen met manden op hun rug en sjaals voor hun mond en neus door de aarde.

In zijn wanhoop gooide hij het stuur om en begon over het onverharde pad langs het veld te rijden in de richting van de tractor, met achter de auto een steeds bredere waaier stof die zijn komst aankondigde. De auto bonkte over de diepe voren in de aarde. In de voorwielophanging ontstond een ritmische schommeling, die naarmate hij vorderde groter werd tot hij het gevoel had dat hij op zee zat. Toen hij dichterbij kwam, zo dichtbij als hij over het pad maar kon komen, maakte de tractor een bocht en reed op hem af tot hij voor de auto stond en hem blokkeerde. Hij zette de motor af en stapte uit. Hij dacht dat hij kon voelen hoe het stof zich in zijn huid en haren nestelde. Hij kuchte, en constateerde dof dat de man op de tractor met een geweer op zijn schoot zat. Maar hij had tenminste niet zijn vingers aan de trekker. Hij glimlachte omhoog naar de man.

'Neem me niet kwalijk dat ik u stoor,' riep hij. Hij was bij zijn auto blijven staan. 'Ik ben vrijwel door mijn benzine heen. Ik vroeg me af of u me wat kon verkopen.'

De man op de tractor kneep zijn ogen samen. Zijn hele gezicht, met rimpels en al, leek in een permanente worsteling te verkeren om zich tegen het schelle zonlicht en de verzoeken van vreemdelingen te beschermen. Het geweer lag op zijn schoot. De mannen met manden op hun rug en doeken voor hun mond zwoegden voort over het veld, in een onderbroken, rafelige rij buigend en plukkend, buigend en plukkend, mannen die met matte blik geweld zouden gadeslaan, zonder zich erin te mengen. Hij stond daar en voelde het stof om zich heen waaien en was verbijsterd over zijn vastbeslotenheid. Oog in oog staan met een man met een geweer op zijn schoot kwam hem heel natuurlijk voor. Nu hij zover was gekomen en zo lang over een vrouw had nagedacht, zou hij zich niet laten verslaan. Hij glimlachte nog eens.

'Ik zal er goed voor betalen,' zei hij.

'Vijf dollar per liter.'

'Pardon?'

'Vijf dollar per liter.'

Een protest welde in hem op; hij onderdrukte het.

'Goed,' zei hij.

De man startte zijn tractor en begon over het pad langs het veld terug te rijden. Hij stapte in zijn auto en reed erachteraan. Het gele stof dat door de tractor werd opgeworpen blies tegen zijn voorruit en gaf hem het gevoel dat hij door een vuurzee reed. Af en toe doemden het hoofd en de hoed van de man in de nevel op. Hij vatte het op als een teken van hoop. Maar toen ze de weg hadden bereikt, sloeg de man op de tractor naar het noorden af, in de tegengestelde richting van waar hij heen wilde. Hij bewaarde zijn geduld en kroop er op tractorsnelheid achteraan, erop voorbereid dat zijn motor elk moment kon gaan sputteren en afslaan. Zes kilometer verder sloeg de man op de tractor van de snelweg een enkelsporige weg in die over een heuvel naar een huis en een schuur leidde, waar ze stopten.

Hij stapte uit de auto en volgde de man naar de schuur. De plotselinge overgang van oogverblindend zonlicht naar het schemerige interieur van de schuur verblindde hem een ogenblik voordat hij hoog opgestapeld op doorbuigende houten planken aan de zijkant van de schuur lange rijen roestige benzineblikken zag staan. Verder was de aarden vloer leeg. Gehamsterd, dacht hij. Om er woekerprijzen voor te vragen. Waarschijnlijk verdund. Zo begint het. Op een dag, een brand zoals ze op deze heuvel nog nooit hebben meegemaakt. Maakt niet uit. Betaal die man nou maar.

De boer strekte een uitgemergelde hand naar een van de blikken uit en droeg het naar de auto. In de andere arm had hij nog steeds het geweer vast, maar op een achteloze manier, met de loop omlaag in de holte van zijn elleboog, alsof hij net terugkeerde van een ontspannen eendenjacht.

'Hoeveel heeft u nodig?'

'Twintig liter.'

'Ik gooi het er wel in.'

Geheel onverwacht behulpzaam, haalde de boer de dop van de tank eraf. Intussen gleden zijn ogen over de bumpersticker die zijn vrouw op de achterkant van zijn auto had geplakt, met 'Ik ben trots dat ik Amerikaan ben' in grote blauwe letters naast de Amerikaanse vlag. Een al te groot, vulgair geval. De ogen van de boer bleven even hangen. Toen trok er een helder licht over zijn gezicht, en zijn rimpels plooiden zich tot een niet geheel geruststellende glimlach.

'En daar krijgt u een extra liter voor, meneer,' zei de boer.

En aldus had zijn vrouw hem met al haar goede zorgen voor zijn veiligheid een stukje op weg geholpen naar een overspelige ontmoeting in een ver afgelegen hotel, met een vrouw van wie ze een diepe afkeer zou hebben als ze elkaar ooit zouden ontmoeten.

7

Hij was laat. Ze zou niet als een beest op stal in de kamer op hem blijven wachten. Nee.

Ze kleedde zich snel aan, zonder de tijd te nemen haar haren te borstelen. Ze liep door het hotel naar de foyer, waar ze door een achterdeur naar buiten stapte. Ze rende over een gazon dat nog nat was van de dauw naar de rand, waar de golven beneden haar omsloegen en een ijzeren trap tegen de zijwand van het klif zat geschroefd. De reling leek haar te laag, alsof die haar dwong om zich onder het afdalen voorover te buigen, onbeholpen te zijn, om het gevoel te krijgen alsof ze er vanaf zou worden geblazen.

Het was kouder dan het vanuit haar kamer had geleken. De zon scheen bleekjes en was nauwelijks warm genoeg, en de wind trok aan haar jasje, alsof hij het wilde afrukken. Ze vond een rode zijden sjaal in de zak van haar jasje en knoopte die om haar hoofd. Een moeder en haar kleine zoon en dochter waren met natte badspullen en om zich heen geslagen badhanddoeken de trap aan het beklimmen, druk met elkaar in gesprek in een vreemde taal. Hoe kwamen ze erbij om met dit weer te gaan zwemmen? Zeker aangespoord door een of ander maf idee over zwemmen in zee. Ze kwamen vast uit een land zonder kust. Het was tegenwoordig zo moeilijk om te reizen. Zo riskant. Ze wilden ongetwijfeld alles doen wat ze maar enigszins konden om ten volle van de tijd die ze hier doorbrachten te genieten, zolang het nog kon. Maar toch. De kinderen bibberden van de kou. Ze drukte zich tegen de rotswand aan om hen te laten passeren. Het meisje sabbelde op een plastic speeltje. Ze fronste naar haar toen ze voorbij klauterde, alsof ze haar van een misstap beschuldigde. Toen ze voorbij waren, haastte ze zich verder naar beneden, naar het zand. Het strand ademde de sfeer van een verlaten kermisterrein. Afval buitelde over het zand tot het in zeewier verstrikt raakte. Het was eb, het water trok zich terug. Een paar meeuwen volgden haar lusteloos, op zoek naar voedsel. Verder was het strand van alle leven ontdaan. De enige voetafdrukken op het zand waren die van het drietal dat haar zo-even op de trap was gepasseerd. Geen boot voer langs de horizon. Het zand onder haar voeten was diep en droog en verschoof met elke stap. Ze ging dichter bij het water lopen, langs de vloedlijn, om steviger grond onder de voeten te krijgen. Een van de meeuwen dook en krijste naar haar, en vloog toen in een boog weg. Het geluid van zijn van verdriet vervulde, beschuldigende kreet leek zich op een melancholieke manier om haar geest te winden. Rouwen meeuwen? dacht ze. Het was moeilijk voor te stellen dat hun doffe geest door iets anders dan hun volgende maal in beslag werd genomen. Dat is wat ons van de dieren onderscheidt, dacht ze. We begrijpen hoe jammerlijk het allemaal is. Ze luisterde naar het schuren van haar voeten over het zand en keek terug over haar schouder, naar waar ze net had gelopen. Ze was dankbaar dat ze de ononderbroken lijn van haar voetafdrukken zag waar de golven nog niet waren gekomen. Ze besloot aan haar man te denken. Het was terecht dat ze aan haar man dacht. In plaats van het vertrouwde verdriet voelde ze zich gefrustreerd, niet in staat om langer dan een paar voorbijgaande ogenblikken aan hem te denken, een herinnering die ze net niet helemaal kon grijpen, net als het afval dat over het zand buitelde. 'Ik hield van je,' fluisterde ze. Ze zei het telkens opnieuw, bij elke stap, er was immers toch niemand die haar kon horen.

Een rij vakantiehuizen stond op de rand van het klif boven haar, hun lege ramen reflecteerden het zonlicht en binnen ontbrak elk teken van leven. De zon leek verkeerd geplaatst in verhouding tot de zee, verder naar links dan waar ze hem had verwacht. De wind geselde het wateroppervlak. Ze wandelde verder, vastbesloten om zich te vermaken, tot het klif in duinen overging en ten slotte in vlak zand. Ze schatte dat ze een uur had gelopen toen ze bij een kleine promenade langs het strand kwam, met houten hokjes erlangs waar strandspullen en andere toeristische dingen werden verkocht. Het was eigenlijk ook niet verbazingwekkend dat de moslim niet was gekomen. Hij had een soort naïeve intensiteit over zich gehad waardoor ze had gedacht dat ze alle inleidende praatjes kon overslaan. Ze had kunnen weten dat ze te vreemd voor hem was, te humeurig, al te overduidelijk onervaren in de kunst van het verleiden om te zorgen dat hij het werkelijk meende toen hij zei dat hij haar hier zou ontmoeten. Wat kon het haar ook schelen? Ik neem koffie, dacht ze. Koffie. Een strandwandeling. Wat maakte het uit dat hij er niet was? Koffie is lekker. De oceaan is dezelfde als anders. Ik ben nog op tijd terug in het hotel om uit te checken. Ik ga naar huis. Ik zoek iemand anders. Er is niets aan de hand.

Ze ploeterde omhoog naar waar het zand droog was. Haar voortgang werd allengs moeizamer. Ze vond vier houten treden die van het strand naar boven leidden. Een verweerd houten bord wenkte haar een koffietentje in, compleet met krukken langs de bar en met oranje kunstleer beklede tussenschotten. Drie jongens met diep over hun oren getrokken gebreide bivakmutsen zaten aan het uiteinde van de bar aan een gettoblaster te prutsen. Een man met een dikke nek in zwart T-shirt en spijkerbroek stond met een elleboog op de bar geleund. Ze keken allemaal op toen ze binnenkwam. Ze keek uitdagend terug en toen weg, toen omlaag naar haar handen, toen weer naar de man achter de bar, toen naar de jongens. Jongens van die leeftijd hadden een roofdierachtige felheid die haar zowel van streek maakte als opwond. Ze keek naar de man achter de bar en glimlachte. Hij was van haar leeftijd. Ze voelde een blos hitte, nou ja, waarom ook niet, verdomme? De man die ze zou hebben ontmoet, had haar in de steek gelaten. Haar plan lag in duigen. Ze ging aan de bar zitten, op de kruk die het dichtst bij de deur was.

'Koffie, graag,' zei ze.

'Geen koffie,' zei de man.

'Geen koffie?'

'Oploskoffie zonder cafeïne. Dat is het.'

'Prima.'

Hij kwam langzaam van de bar overeind; met zijn handen tegen zijn rug gedrukt rekte hij zich zo nadrukkelijk uit dat zijn borst naar voren kwam, op een manier die haar onnodig sensueel leek. Toen keerde hij zich om, scheurde een zakje open en strooide bruin poeder in een kopje. Hij vulde het met heet water, zocht een schoteltje, en zette het op de bar voor haar neer. Niet erg zorgvuldig. De vloeistof klotste over de rand op de schotel. Zijn nagels waren afgekloven en vuil. Zo snel als haar begeerte was opgekomen, was zij ook weer verdwenen.

'Koffie, graag. Koffie, graag,' bauwden de jongens aan het andere eind van de bar haar na.

Ze maakten niet haar maar de man belachelijk, besloot ze met een gevoel van opluchting. Ze keken naar hem en niet naar haar. En toch, hoe pijnlijk blootgesteld voelde ze zich. Ongetwijfeld had ze zichzelf al blootgegeven. Ze zou haar koffie snel opdrinken, betalen en vertrekken. Alles zou in orde komen.

'Suiker of poedermelk?' vroeg de man.

'Nee, dank u wel.'

Ze zette haar ellebogen op de bar en dronk. De bar was onaangenaam vochtig. Ze haalde haar ellebogen er weer af.

Muziek klonk op, plotseling, luid en gedachteloos stampend. Nu staarden ze haar allemaal aan, meeknikkend met de muziek, alsof ze haar ervan wilden overtuigen dat het voor haar plezier was uitgekozen. Ze keek een andere kant op. Ze ontspande zich. Ze dronk. Toen baanden de woorden van het nummer – hoe gingen ze ook weer? – zich een weg naar haar geest: *does she go down on you does she go down on you does she go down on you does she go down on you...*

Ze keek weer op en zag de man daar nog steeds onnozel staan, zijn wenkbrauwen opgetrokken in een obscene, woordeloze vraag. De jongens zaten proestend te lachen en tegen elkaar geleund uit hun ooghoeken naar haar te kijken. Een gewicht drukte haar neer. Ze moest zich bewust inspannen om de spieren van haar longen te laten uitzetten en samentrekken. Ze stond op. Ze zou niet toestaan dat ze zich ten koste van haar vermaakten. Dat weigerde ze.

'Ik kan jullie muziek niet erg waarderen,' zei ze.

Voordat ze haar nog langer belachelijk konden maken, vluchtte ze de deur uit, de vier houten treden af het strand op, waar ze stilstond om op adem te komen. Ze dacht dat ze daar ter plekke kon neervallen, op het zand, om over te geven. Ze voelde een hand op haar arm.

'U hebt niet voor uw koffie betaald,' zei de man.

'Laat me alstublieft los.'

Ze probeerde haar arm weg te trekken maar merkte dat hij haar des te steviger vastgreep.

'Hou daarmee op. Alstublieft.'

En nog liet hij haar niet los. Hij rook naar sigaretten. Hij keek haar kwaadaardig aan. Of was dat wel zo? Was het een soort glimlach? Probeerde deze man verleidelijk of vijandig te doen? Ze kon het niet zeggen. Ze kon tegenwoordig niet meer uitmaken wat voor innerlijke motieven iemands uiterlijk verried. Zijn bedoelingen waren beslist vijandig. Het was een kwaadaardige blik. Zijn gezicht was afgrijselijk pokdalig.

'Hoeveel ben ik u schuldig?' vroeg ze.

Hitte steeg op en maakte zichzelf kenbaar op haar gezicht. Van begeerte? Nee, niet van begeerte, van schaamte omdat ze voor deze man zelfs maar een ogenblik begeerte had gevoeld, en ze bloosde nog erger, beseffend dat de kleur van haar gezicht verkeerd zou worden uitgelegd.

'Helemaal niets,' zei de man. 'Kom toch weer binnen. Ik heb tegen die jongens gezegd dat het afgelopen moet zijn met dat gelazer. We hebben vandaag donuts.'

'Nee. Mijn man wacht op me. Het spijt me. Bedankt. Ik moet er nu echt vandoor.'

Ze voelde hoe hij in haar arm kneep. Toen liet hij los. Ze voelde een vreemd soort teleurstelling toen hij haar liet gaan. Zijn bedoelingen waren ongetwijfeld goed geweest. Ze draaide zich om en liep langzaam met opgeheven hoofd terug in de richting waar ze vandaan was gekomen, zonder om te kijken. Ze stelde zich voor dat hij nog eenzaam op het strand stond waar zij hem had achtergelaten, intens en onwrikbaar, om haar met spijt uit zijn blikveld te zien verdwijnen. Toen ze zich eindelijk omdraaide om hem te zien staan, zag ze tot haar verrassing dat het strand geheel van hem was ontdaan. Ze begon te rennen, terug over het strand, de lange trap op, hijgend, haar ledematen bevangen door een rusteloze angst. Toen ze omhoogkeek om te zien hoe ver ze nog moest klimmen, zag ze de moslim op zich afkomen, en ze stortte zich op hem alsof hij haar redder was.

8

Hij herkende haar niet tot ze bijna voor hem stond. Haar gezicht leek van alle redelijkheid ontdaan. Haar hoofd was achterover gegooid en haar mond stond open, alsof ze verteerd was door angst of wellust tot er niets meer van haar restte. Instinctmatig hield hij haar stevig vast – zij was een vrouw, hij een man – en gaf hij haar de gelegenheid om weggedoken tegen zijn borstkas te kalmeren. Toen ze opnieuw naar hem opkeek zag hij dat ze erin was geslaagd om bijna weer tot zichzelf te komen. Maar bleker, als een lijk. Hij trok de sjaal van haar hoofd. Aha. Daar was ze. Haar haren vlogen alle kanten op. Ze deed een stap achteruit, van hem vandaan, uit zijn armen.

'Ik heb je gezocht,' zei hij.

Zo'n ontmoeting had hij zich niet voorgesteld, hier, op een trap, boven noch beneden. Hij had zich deze noodzaak om met haar te praten absoluut niet voorgesteld. Hij had zich haar ergens in een bed voorgesteld, naakt, stil, open, ongecompliceerd, en toch vol geheimzinnigheid, wachtend op hem, de noodzaak tot conversatie of uitleg voorbij. Maar nu moest hij met een voorstel komen, een intermezzo, een uitgebreide poging tot verleiding, een verspilde inspanning omdat de uitkomst al vaststond. Waren ze het er niet over eens geweest dat ze elkaar in een hotel zouden treffen? Was het niet overduidelijk wat ze over en weer verwachtten? En toch leek het ineens te bot, te vernederend voor hen beiden, om haar zomaar uit te nodigen.

'Hallo,' zei ze.

'Ik ben te laat,' zei hij. 'Het spijt me.'

'Ik wist niet of je wel zou komen.'

'Natuurlijk zou ik komen.'

Ze stonden op de trap, haar haren zwiepten rond haar gezicht. Ze keek niet meer alsof ze zou gaan huilen.

'Het is erg koud,' zei ze.

'Zullen we naar binnen gaan?'

Was dat niet wat ze wilde dat hij zou zeggen? Gaf ze hem geen reden om haar mee terug naar haar kamer te noden? Hij voelde zich ellendig. Het liep niet goed.

'Er is een zonneterras,' zei hij. 'Dat zag ik toen ik het gazon overstak. We kunnen daar gaan zitten, uit de wind.'

Ze knikte.

Zonder ook maar even een lichaamsdeel van elkaar aan te raken liepen ze de trap op, en terug over het onverzorgde gazon. Zij liep voorop. Hij werd getroffen door de magerte van haar schouders. Hij herinnerde zich een robuustere vrouw dan deze. Ze keek niet achterom om te zien of hij haar volgde. Hij keek omhoog naar het hotel waar ze op afliepen en zag een enkele gast, een oudere man, in T-shirt en pyjamabroek, met zijn ellebogen op de reling van een balkon op de eerste verdieping. De man hield met één hand losjes een krant vast, die flapperde in de wind. De man lette niet op hen en staarde over hun hoofd in de verte, op zoek naar de horizon, in gedachten verzonken.

Ze bereikten een met glas omsloten terras waar ze op

een rieten bank gingen zitten met het gezicht naar zee. Ze keken in de verte. Het glas was vies. Hier en daar kon je er nauwelijks doorheen kijken. Haar aanwezigheid verpletterde hem. Haar haar was zwart en lang, met hier en daar strepen vroeg grijs. Haar huid vertoonde rond de ogen fijne lijntjes; haar huid die zo bleek was dat hij dacht dat hij onder haar wang nog net een spookachtig adertje zag zweven. Hij voelde een plotselinge drang om kleine beten langs haar hals te planten, om een spoor van blauwe merktekens op haar spierwitte huid achter te laten. Hij wilde haar bij haar haren grijpen en haar hals blootleggen en voelen hoe ze zich aan hem overgaf. Haar knieën voelen knikken en haar benen zich voor hem voelen spreiden als hij bij haar binnenkwam. Hij schikte de omslagen van zijn broek. Hij schraapte zijn keel.

'Ik wil graag uitleggen waarom ik zo laat was,' zei hij.

'Het doet er niet toe.'

'Nee, ik wil het echt,' zei hij. 'Het komt doordat ik vaak dingen vergeet. Jou niet. Ik heb de hele tijd aan je gedacht. Maar ik ga gewoon door alsof er niets is veranderd. Merk jij weleens dat je gewoon doorgaat? Dat je soms secondenlang iets vergeet waarvan je weet dat je het niet moet vergeten?'

Ze keek hem aan.

'Nee,' zei hij. 'Het is lastig uit te leggen. Soms is het net of ik me gewoon kan afsluiten voor de dingen waar ik me geen zorgen over wil maken. Ik had moeten tanken toen ik de kans had. Maar in plaats daarvan draaide het erop uit dat ik over een veld achter een oude man op een tractor aan moest rijden, om te vragen of hij benzine te koop had. Hij rekende een woekerprijs. Ik wilde hier echt heel graag naartoe.'

Hij had voor haar een beeld willen oproepen van hoe hij lachwekkend roekeloos over wasbordpaden was gereden, achter een vriendelijke oude kerel aan, die zelfs nu nog erop stond om voor zijn eigen gewassen te zorgen. Hij liet de details achterwege. Gewoon een verhaal. Hij dacht dat het verhaal zou helpen. Om het ijs te breken.

Vlak over de golven dook een reusachtige vogel naar een vis. De schoonheid van het moment overviel hem. Het opmerkelijke feit dat de vogel in dat kleine stukje oceaan dook waar hij net op dat moment naar keek, kwam hem voor als een teken dat alles goed zou komen, en het vervulde hem met uitbundige dankbaarheid. Hij voelde zich weer eenvoudig.

'Moet je dat toch zien,' zei hij.

'Denk je dat het nog wel mogelijk is, wat we hier doen?' zei ze. 'Alles is zo veranderd. We leven in zo'n duistere tijd. We weten niet wat we van de toekomst moeten denken. Al die inspanning om hier alleen maar te komen. Jij moet achter een tractor aan rijden. Het is te veel. Verlang je eigenlijk wel naar me?'

'Natuurlijk verlang ik naar je,' zei hij. Maar zijn stem klonk verschoten en gebarsten, als oude verf.

'Waarom doen ze ons dit steeds aan?' zei ze. 'Waarom haten ze ons zo?'

'Ik weet het niet.'

Natuurlijk wist hij in algemene termen wel waar ze het over had. Hij kon de gevoelens van mensen jegens hem tegenwoordig eenvoudig genoeg peilen door vast te stellen aan welke kant van de grote kloof ze hem plaatsten als ze hem dezelfde vraag stelden. Haar gebruik van 'ze' bemoedigde hem; daarmee werd hijzelf stevig in het 'wij'-kamp geplaatst. Zijn leven en geluk waren teruggebracht tot een keuze tussen voornaamwoorden. Hij had het opgegeven om de fijnere nuances van zijn overtuigingen uit te leggen aan mensen die dat soort vragen stelden. Elke dag weer zocht hij zijn weg gehuld in een gevoel van diepe verontschuldiging, omzichtig in zijn woorden en daden. En toch kon hij haar opmerking niet helemaal plaatsen. Alles aan haar leek tegelijkertijd ver weg en intiem. Op dit moment leek ze zich niet bijzonder bewust van zijn aanwezigheid.

'Soms benijd ik hen,' zei ze. 'Ik bedoel, om iets zo diep te voelen. Om zo overtuigd van iets te zijn. Ik denk dat zij in de meest zuivere betekenis van het woord echt leven. Ik denk dat ze zoveel diepere gevoelens hebben dan gewone mensen. Ze zijn bijna niet menselijk meer. Ze kunnen onschuldigen in de ogen kijken en niet geroerd zijn. Niet hun bedoelingen laten blijken. Soms probeer ik het te begrijpen. Wat moeten zij uitzonderlijk diepe gevoelens hebben. Ik zou zelf dingen ook zo diep willen voelen.'

'Wat je zegt, de wereld is gek geworden,' zei hij.

'Alles is zo uit evenwicht.'

'Ik weet het niet.'

'Ik wist niet zeker of je zou komen.'

Hij zat naast haar en voelde hoe de onbehaaglijkheid tussen hen zichzelf in stand hield. Hij vroeg zich af of ze nu zou vertellen wat hij al over haar wist.

'Wat doen we nu?' vroeg ze.

'Ik neem aan dat dit de reden is waarom dit soort dingen meestal 's avonds gebeuren,' zei hij. 'Als mensen dronken zijn, of moe, en ze minder geremd zijn.'

Dat was niet wat hij had willen zeggen. Hij dronk

niet eens. Ze bracht hem in verwarring met haar hartstochtelijke melancholie. Hij had willen vertellen over de talloze manieren waarop hij zich haar had voorgesteld. Staand, naakt, gekromd tegen een muur, hem smekend om haar te nemen. Op haar rug op het zand, met rondom de woeste branding. Over hem heen gehurkt. Hij voelde zichzelf naar haar toe vloeien als water naar een diepte. Zelfs nu, in al haar wanhoop, vervulde ze hem met de wanhopige drang om haar aan te raken. Het kon zijn dat ze de grote liefde van zijn leven zou worden. Hij voelde dat zij hem ook nodig had. Ze was alleen op de wereld. Het was jaren geleden dat hij voor het laatst met een nieuwe vrouw samen was geweest. Niets anders, niet zijn vrouw, niet zijn kinderen, zelfs niet de lucht, had hem zo in leven gehouden als zij had gedaan vanaf het moment dat hij haar voor het eerst had gezien.

Maar hij zei geen van die dingen. In plaats daarvan strekte hij zijn hand naar haar uit, als een vraag, en streelde haar nek, onder haar haren. Hij voelde zich absurd dapper. Ze draaide zich om en keek hem aan. Haar blik was grenzeloos en leeg, als de duisterste nacht.

Hij haalde zijn hand weg.

Ze stond abrupt op, alsof een innerlijk debat was beslist in het voordeel van opstaan, en stak haar hand uit.

'Het is goed,' zei ze. 'Vooruit, kom mee.'

Hij volgde haar door de deuren van het terras naar de foyer, door lege gangen zonder mensen, zonder stemmen, zelfs zonder hun eigen stemmen, naar de deur die met haar sleutel kon worden geopend. Iemand had op de mat voor haar deur een krant achtergelaten. Ze raapte hem op.

'Bomaanslagen zullen economie ernstig schaden, zegt president federale bank,' zei ze.

'Ach, lees dat nu toch niet.'

'Ik ben vandaag niet helemaal mezelf,' zei ze.

'Ik weet het.'

Hij pakte haar de krant af en probeerde haar te kussen. Ze wendde zich van hem af, deed de deur open en liep naar binnen. Dat ze de deur openliet, vatte hij op als een teken om haar te volgen. De kamer was keurig opgeruimd.

'Een mens zou nog doodgaan aan die benauwende netheid,' zei ze, en ze forceerde een glimlach.

Ze sloeg de deken terug. De geur van bleekmiddel steeg op en vulde de kamer met een antiseptische weeheid. Ze ging op het bed zitten en keek hem met een vreemde blik aan. Toen bedekte ze haar gezicht met haar handen. Toen ze weer opkeek, was haar gezicht rimpelig, bitter en vertrokken.

'Ik walg van mezelf,' zei ze.

Hij keek haar aan.

'Ik geloof niet dat ik dit kan. Het spijt me.'

Ze wendde haar blik af, naar de muur.

Hij wist niet wat hij moest zeggen.

Hij liep naar het gordijn en tilde het op.

Geen uitzicht op zee, zoals hij had gehoopt, maar op een betonnen binnenplaats met een droogstaand, gebarsten niervormig zwembad. Plastic ligstoelen stonden verspreid opgesteld, sommige alleen, andere in cirkels bijeen, spookachtige afdrukken van een bijeenkomst die ooit had plaatsgevonden, lang geleden, of misschien afgelopen zomer, voordat ze het zwembad hadden laten leeglopen. Vrouwen hadden languit op die stoelen liggen kletsen, met één oog op hun kinderen die in het zwembad rondplonsden. Ze hadden hun benen ingesmeerd en de bandjes van hun zwempak zo ver mogelijk omlaag getrokken. Om een wit randje te voorkomen, maakten ze zichzelf wijs, maar eigenlijk om zoveel mogelijk van zichzelf bloot te geven. En ze hadden met de badman geflirt. Natuurlijk had dit moeten gebeuren, dacht hij. Toen hij haar op de beurs had gezien, was ze al begonnen hem te verleiden nog voordat ze zich echt aan elkaar hadden voorgesteld. Dat was hem nog nooit overkomen. Zelfs niet toen hij jong was. Geen wonder dat ze van gedachten was veranderd, nu het niet laat op de avond was en ze daadwerkelijk met hem werd geconfronteerd. Hij had de laatste tijd iets zachts over zich, had zijn vrouw al vaak gezegd, een zachtheid die hem te innemend maakte om echte begeerte op te wekken. Hij was dikker geworden. Zijn neus was groot. Haar nieuwsgierigheid had ongetwijfeld plaatsgemaakt voor feitelijke vijandigheid nu hij in levenden lijve en bij daglicht voor haar stond. Hij wenste dat hij het soort man was dat haar bezwaren kon overwinnen, die kon maken dat ze hem wilde hebben. Maar dat was hij niet. Hij had moeten weten dat zo'n intermezzo tussen een man als hij en een vrouw als zij onmogelijk was.

Lawaai kwam van ergens achter hun deur, een gesmoorde kreet, het geluid van zware voetstappen die voorbij renden, drie of vier mannen, nam hij aan; daarna nog meer geschreeuw vanuit de richting van het raam, maar verder weg, wegstervend.

Hij registreerde de geluiden en liet ze weer gaan.

'Ik wil alleen wat jij wilt,' zei hij berustend, blij zelfs.

Er was een last van zijn schouders gevallen en hij accepteerde zijn vage teleurstelling als iets onvermijdelijks. 'Je hebt geen reden om van jezelf te walgen.'

Tot zijn verwondering zag hij de spanning uit haar gezicht verdwijnen, tot ze zestien leek, of dertig, en hij wist dat ze uiteindelijk toch voor hem had gekozen.

'Goed,' zei ze. 'Hier zijn we nu eenmaal voor gekomen. Maar ik wil dat je weer even een paar minuten weggaat. Het spijt me. Ik wil me voorbereiden. Een paar minuten maar. Een kwartier. Neem de sleutel mee en laat je zelf binnen. Niet kloppen. Een kwartier.'

Hij knikte. Ze zag kans om hem de sleutel aan te reiken zonder zijn hand aan te raken en zonder hem echt aan te kijken. Dat gaf niet. Hij liep naar de deur, maakte hem open en hoorde hem achter zich gesloten worden.

En zo stond hij weer buiten, op de gang, door een deur gescheiden van de vrouw die dus toch weldra zijn minnares zou worden. Misschien. Het was moeilijk te zeggen. Er steeg een spanning in hem op die hem ertoe dreef om door de lange, stille gangen op en neer te benen. Opnieuw voelde hij de fantoomhuivering, de voorbijgaande angst. Er stond hier iets te gebeuren. Iets wat hij niet begreep. We balanceren op de rand, dacht hij. Zo'n moment is er vlak voordat je de eed aflegt. Vlak voordat je sterft. Je hebt je verbonden, maar het is nog niet in beweging gezet.

9

Ze stond op van het bed en liep naar een koffer. Ze gooide hem op het bed, opende hem, groef erin op zoek naar wat ze nodig had, doelgericht of ongeïnteresseerd, dat wist ze niet, maar ze wist wel wat ze wilde, ze had waarschijnlijk van het begin af aan geweten wat ze wilde, althans voorlopig. Ze vond iets waarvan ze zich nauwelijks kon herinneren dat ze het had ingepakt. Ze kleedde zich weloverwogen, met zorg, zoals ze dat honderden keren eerder had gedaan. Ze trok een panty en pumps aan, haar zijden blouse, haar mooie marineblauwe mantelpak. Alles was precies zoals het was geweest toen ze de laatste keer met haar man samen was geweest. Ze ritste de koffer dicht en schoof hem op de grond. Ze maakte het bed weer op, stopte de lakens in, schikte de kussens en ging op haar zij op bed liggen, haar rug naar de deur, met haar hand als ondersteuning, net als toen, en wachtte. Misschien dwong ze zichzelf om te slapen. Ze hoorde de deur opengaan en voelde zijn aanwezigheid weer in de kamer. Ze voelde dat hij aan de rand van het bed stond. Ze hield haar ogen gesloten, haar ademhaling ontspannen.

'Wat wil je dat ik doe?' vroeg hij.

'Trek me mijn kleren uit,' zei ze, geïrriteerd omdat ze het moest uitleggen. 'Laat de jouwe aan. Kom dan naast me liggen.'

Het bed kraakte toen hij zijn gewicht erop neerliet. Ze voelde hoe hij achter haar ging liggen, zijn armen om haar geheel geklede middel sloeg, en een ogenblik verliet haar begeerte haar om plaats te maken voor iets even rijks en gecompliceerds, maar zachter, bijna moederlijk. Toen begon hij haar te ontkleden en het moederlijke gevoel vervloog, en in plaats daarvan zag ze het gruwelijk pokdalige gezicht, de vingers met nicotinevlekken en afgekloven nagels. Ze zag jongens met gebreide bivakmutsen die op de achtergrond over koffie en poesjes zaten te zingen. Ze zag dikke vingers in haar nek. Ze zag haar zwager. Ze zag boodschappenjongens. Ze zag vernedering en angst en chaos. Besmetting. Hij zou haar besmetten. Wat is dit? Wat is dit? Hij was te ver gegaan, het was niet de bedoeling dat hij zo ver zou gaan, haar man was niet zo ver gegaan. Er brokkelde vanbinnen iets af, de sluier werd weggerukt, het membraan barstte. Ze was stervende. Ze dook dieper in zichzelf en beroerde heel even in haar geest het idee van geweld, en zag hoe aantrekkelijk geweld voor haar was, hoe ze ernaar verlangde om boven deze man te zijn, ernaar verlangde dat hij onder haar knielde, meegaand, bijna zonder een kik te geven. Kleuren flitsten aan de binnenkant van haar ooglid, purper, groen, geel. Toen volgde een schril, verrassend beeld van het lichaam zelf: vochtigheid en chaos, er was geen ander woord voor. Hij had haar panty, broekje en beha verwijderd en nu lag ze hoogst onbetamelijk op het bed uitgespreid; ze besefte hoe haar ledematen geschikt lagen, het besef doorstroomde haar als een hap lucht als je boven water komt. Ze bleef heel stil liggen, verroerde geen vin, tot aan de laatste ademtocht, tot ze wilde wegvluchten naar een uithoek van haar geest. Hij zal een lege kamer betreden, dacht ze, maar nee, hij was hier, bij haar, hij haalde haar terug, hij zou niet zonder haar vertrekken, tot er niets meer aan te doen was, tot ze zich aan hem moest ontworstelen – ga van me af, ga van me af – om niet door haar eigen lichaam te worden verraden.

En daar was hij, deze onbekende, stil nu, en hij kuste haar tussen haar benen. Ze was verbijsterd door het feit dat ze dit alles niet begreep. Ze dacht dat ze misselijk zou worden. Ik wil treurig zijn, dacht ze. Ik hoor treurig te zijn. Deze liefdeshandelingen moeten me alleen aan de dood doen denken. Ik zal me niet laten ontroeren. Ik zal niet in verwarring raken. Ik zal kalm blijven. Ik moet me nooit meer laten ontroeren. Als ik me weer laat ontroeren zal ik mijn man vergeten, en dat mag nooit gebeuren.

Hij keek naar haar op. En al die andere gedachten verlieten haar, tot ze alleen nog een beleefd soort onverschilligheid voelde, en daar was zij, en hij was gewoon een man, hij was gewoon deze man, die nu om een of andere reden met iets van liefhebbende tederheid naar haar keek.

10

Toen er precies een kwartier was verstreken, deed hij de deur van het slot. De kamer was duister. Ze lag op haar zij, met haar rug naar hem toe, en ze droeg iets wat op een mantelpakje leek. Marineblauw. Met bijpassende schoenen. Het was niet wat hij had verwacht.

'Wat wil je dat ik doe?' vroeg hij.

'Trek me mijn kleren uit,' zei ze. 'Laat de jouwe aan. Kom dan naast me liggen.'

Hij kwam naar haar toe, ging naast haar op het bed liggen en sloeg zijn arm om haar middel, en op datzelfde moment besefte hij wat deze scène was. Iets uiterst intiems. Meer dan zomaar minnaars. Dit kwam hem bekend voor. Hij wist wat hij moest doen.

'Zeg het als ik het verkeerd doe,' fluisterde hij.

Hij trok zich dichter tegen haar aan en snoof de geur van haar haren op. Ze gaf geen reactie. De aandacht die ze hem gaf in aanmerking genomen, zou ze net zo goed in slaap kunnen zijn. Maar ze sliep niet. Dat wist hij. Nee, ze was alleen passief, en daarmee gaf ze hem toestemming om met haar te doen wat hij wilde. Haar passiviteit vervulde hem met een bijna ondragelijk verlangen om zich aan haar te vergrijpen. Met de grootste moeite trok hij haar jasje uit. Haar armen ploften uit de mouwen. Hij reikte om haar heen en begon de blouse los te knopen, inmiddels minder zorgvuldig, ongeduldiger, tot hij klaar was die ook uit te trekken, om zijn eerste glimp op te vangen van haar onbedekte buik, haar beha. Haar armen raakten verstrikt in de mouwen van de blouse; hij was vergeten de knopen van de manchetten los te maken. De blouse verdraaide rond haar polsen. Ze maakte een geluidje. Hij tilde haar rok op en stak zijn hand ruw in haar onderbroek, en ze maakte opnieuw het geluid, een zachte kreet, een nauwelijks hoorbaar protest, maar ze bood geen lichamelijk verzet, alleen een luie zwaarte die op de minste of geringste druk reageerde door haar ledematen te verschikken om zijn weg te vergemakkelijken tot zijn vingers binnenin haar waren en hij haar helemaal kon voelen. Zijn vingers vonden de rand van haar pessarium. Ja, dat is goed, dacht hij. Wat het ook voor spel is dat we hier spelen, dit hoort erin thuis, dit hoort net als al het andere bij de taal van betrokken minnaars. Het drong tot hem door dat hij de rol van een dode man speelde. De gedachte overviel hem alsof hij de waarheid van een groot mysterie had ontdekt en hij had willen huilen. Hij voelde dat ze in zijn vingers kneep en een golf lust spoelde de rede weg. Hij haalde zijn hand uit haar en rukte haar panty en broekje omlaag en gooide ze op de grond, niet langer traag en geduldig, niet langer voorzichtig en zorgzaam. Het lukte hem om de blouse los te trekken van waar hij rond haar polsen was blijven steken. Hij haakte haar beha los en kneedde haar borsten, trok vervolgens haar rok weg, tot ze wit en naakt was. Hij was nog steeds volledig gekleed en haar ogen waren nog steeds stijf gesloten, alsof ze veinsde te slapen, als de pulserende spanning in haar kaken er niet was geweest. Ze lag slap voor hem uitgestrekt. Hij was vervuld van haar dierlijke geur, kleiachtig, met een zweem van ontbinding. Ze was nu zo naakt, zo volkomen naakt en blootgesteld, ze lag op haar rug, haar ogen gesloten, haar lichaam vervuld van dezelfde apathie als eerst, dezelfde slappe ledematen, alsof ze hem duidelijk wilde maken dat ze geheel tot zijn beschikking was. Toen hij schrijlings op haar ging zitten, tilde hij haar hoofd ruw aan haar haren op en probeerde haar te dwingen haar ogen te openen; toen liet hij haar weer los en het hoofd plofte terug op bed, en nog kwam er geen reactie. Hij kuste haar ruw. Toen hij ophield, bleef ze met een slappe open mond liggen, en haar ogen waren nog steeds gesloten, haar adem worstelde met zichzelf. Wilde ze hem pijpen? Verwachtte ze dat? Haar lichaam gloeide van opwinding, maar ze raakte zichzelf niet aan. Haar mond stond wijdopen. Haar ademhaling was een oppervlakkig gehijg als van smart of hysterie. Opgewonden en verward, bang voor zijn eigen driften, draaide hij haar abrupt op het bed om, zodat hij niet naar dat gezicht hoefde te kijken. Nu hij haar gesloten ogen niet meer kon zien, had hij het gevoel dat hij alles beter onder controle had, en zonder verdere plichtplegingen ritste hij zijn gulp los, greep zijn pik en nam haar van achteren, hij nog steeds volledig gekleed, zij naakt en van hem afgekeerd en op een afstand, zoals alle vrouwen op een afstand zijn bij deze vorm van vrijen. Alleen gebeurde er deze keer iets anders, want toen hij voelde hoe zij hem vastkneep en hij zijn eigen ontspanning in haar voelde stromen, draaide zij zich om en keek hem aan met een blik, niet van vervoering, o nee, maar met iets wat aan walging grensde. Ga van me af, ga van me af, had ze misschien gezegd, tussen opeengeklemde kaken en nauwelijks verstaanbaar, en ze draaide haar heupen weg om hem uit zich te gooien voor een van hen beiden klaarkwam, en vervolgens morste hij haar billen en dijen onder. Vol afschuw knielde hij voor haar neer, in de hoop te worden vergeven, ervan overtuigd dat zij hem niet zou kunnen vergeven dat hij zo grof was geweest, met het gevoel dat hij misschien wel van frustratie en schaamte in tranen zou kunnen uitbarsten, en hij kuste haar keer op keer tussen haar gespreide benen. Ze raakte zijn hoofd aan, trok haar vingers door zijn haar, alsof ze ijverig op zoek was naar iets wat ze was kwijtgeraakt.

11

'Het spijt me,' zei ze.

'O nee, ik ben degene die spijt moet hebben.'

'Ach, laten we geen spijt hebben,' zei ze. 'We hebben de tijd om het nog eens te proberen. Het is zo lang geleden voor mij. Een eeuwigheid. Je zult niet geloven hoe lang het geleden is.'

Ze bleef liggen zonder zich te bedekken, wat hem in verlegenheid bracht. Haar woorden gaven hem een betekenis waarvan hij niet wist hoe hij die moest duiden. Geagiteerd zocht hij naar woorden om zijn onbehaaglijkheid te verlichten.

'Wat ben je toch volkomen naakt,' zei hij.

Ze lachte.

'Heel anders dan jij,' antwoordde ze.

Het leek of ze hem daar de schuld van gaf, en plotseling benauwden zijn kleren hem, opnieuw schaamde hij zich voor zijn gebrek aan tact, voor de manier waarop hij had geblunderd. Het kwam in hem op dat hij zich misschien minder verpletterd zou voelen door haar naaktheid als hij zelf ook zijn kleren uittrok. Dus ontkleedde hij zich, onbeholpen, zonder naar haar te kijken. Hij lette erop dat hij zijn sokken voor zijn broek uittrok, want op dat moment leek hem niets gênanter dan dat een vrouw hem met zijn sokken aan en zijn broek uit zou zien. Hij legde zijn kleren netjes opgevouwen op een stoel, wetend dat haar blik strak op hem was gericht, en voegde zich bij haar op het bed, zonder haar aan te raken, vervuld van het gevoel dat hij gruwelijk log en onaantrekkelijk was in vergelijking met haar. Hij leunde op het kussen achterover alsof hij op zijn gemak was en legde zijn armen onder zijn hoofd om zijn buikje zo klein mogelijk te laten lijken en keek naar haar. Hij probeerde iets te bedenken om te zeggen of te doen. Haar bouw was echt Amerikaans, zo gespierd. Geschokt besefte hij dat hij aan de borsten van zijn vrouw dacht, aards en hangend. Hij zette zijn vrouw uit zijn hoofd. De weduwe keek nogal nadrukkelijk naar hem. Zijn edele delen waren in orde. Niet dat ze iets uitzonderlijks hadden, maar ook niet iets om zich voor te schamen. Ze keek met een merkwaardige afstandelijkheid naar hem. Alsof ze nog niet hadden gevrijd.

'Ik had niet verwacht dat je besneden zou zijn,' zei ze.

In zijn hoofd ontstond een malende beweging. De opmerking leek buitengewoon persoonlijk, buitengewoon onwetend, niet echt complimenteus en toch klonk ze teleurgesteld.

'Dat is gebruikelijk,' zei hij.

'Ik weet helemaal niets over je,' zei ze.

Hij vroeg zich af of ze het over hem als individu had of als lid van een grotere groep mannen van wie ze had verondersteld dat ze niet besneden waren. Abrupt besloot hij het haar te vergeven. Ze hadden geen tijd gehad om elkaar op meer dan die ene manier te leren kennen. Hij herinnerde zich haar spier die hem had vastgegrepen, de ronding van haar hals als ze tegen hem aan leunde.

'Je weet heel veel,' zei hij. 'Je weet alles wat je moet weten. Ik ben een eenvoudig man.' Hij streelde haar haren. 'En jij?' zei hij. 'Wie ben jij?'

'O, niets,' zei ze.

'Dat moet behoorlijk verwarrend zijn,' zei hij.

Hij wachtte tot zij door zou gaan. Waarom had ze het niet over de dingen die hij al van haar wist? Hij raakte haar arm aan en probeerde geduld te oefenen. Hij stelde zich voor dat haar gedachten niet bij haar dode echtgenoot waren. Zijn geest snelde door zijn eigen herinneringen. Hij voelde hoe zijn ogen bijna zijns ondanks door de kamer schoten, naar de lamp, de televisie die op een voet stond, het plafond, om uiteindelijk op de hare tot rust te komen.

'Je bent een heel mooie vrouw,' zei hij.

'Vind je dat echt?'

'Dat hoef ik je niet te vertellen, dat weet je wel.'

'Ik weet helemaal niets.'

'In dat geval ben je lelijk. Ik ben de enige man die jou ooit zal willen hebben. Je kunt net zo goed bij mij blijven.'

'Misschien wel.'

Een schaduw viel over haar gezicht. Hij wilde niet naar de reden vragen. Hij wilde dat ze er zelf mee zou komen, zoals ze hem zelf haar lichaam had aangeboden. Al lagen ze naakt bij elkaar en wisselden ze dingen uit die voor intimiteiten moesten doorgaan, hij aarzelde toch om haar privacy te schenden. Hij had haar wel willen vragen wat ze voelde, maar hij was bang om gemaakt meelevend te klinken. Hij wilde haar ook vragen waarom ze hem had weggeduwd op het moment dat hij haar dichterbij had voelen komen. Heel even raakte hij gevangen in de vreemde fantasie dat te veel woorden volledig begrip in de weg zouden staan, een begrip voorbij woorden, de uitkomst van hun vrijpartij en de tragedie die ze beiden in hun leven hadden gekend. Het was het soort begrip waarvan hij had verwacht dat het huwelijk hem dat zou brengen, maar de diepste gedachten van zijn vrouw ontgingen hem. Zijn vrouw was met de jaren en alle ervaringen die ze hadden gedeeld zelfs nog ondoorgrondelijker geworden, ze verborg zich achter haar correcte gedrag, droeg haar principes alsof het kleren waren en was daarom ook nooit volledig naakt voor hem. Erger nog, bedacht hij, er waren misschien wel geen diepere lagen vrouwelijkheid achter de façade. Dan was hij met een lege jurk getrouwd, even oppervlakkig als de katoen.

'Is het in jouw godsdienst geen zonde wat we nu doen?' vroeg de weduwe.

'Er is een verhaal,' zei hij. 'Een zondaar komt bij de Profeet om zijn schuld te belijden dat hij met een vrouw heeft geslapen. En de Profeet zegt: "Allah heeft je zonde verborgen, doe jij dat ook".'

'Volgens mij betekent dat verhaal dat je kunt doen waar je zin in hebt, zolang niemand er maar achterkomt.'

'Niet helemaal. Maar je interpretatie bevalt me wel.'

Ze rolde van hem weg tot ze op haar rug lag, haar benen gespreid op een achteloze manier die hem in verrukking bracht. En toch was ze opnieuw van hem weggedraaid; ze gedroeg zich alleen zo vrij omdat ze hem vergeten was. Haar tepels waren een bron van diepe verwondering voor hem, zacht, roze, bijna doorzichtig, net de binnenkant van een trompetschelp.

'Moet je horen, ik weet wie je bent,' zei hij abrupt.

Hij zag haar veranderen, een wirwar van emoties trok over haar gezicht tot ze het ten slotte weer in een blanco onverschilligheid had gedwongen.

'Je weet niets,' zei ze.

'Ik ken je,' zei hij. 'Ik weet alles van je. Toen ik je ontmoette, wist ik het nog niet, maar ik heb het later ontdekt.'

'Je weet niets.'

'Ik heb de foto's gezien. Een foto waarop je een toespraak houdt. Je schudde de gouverneur de hand.'

'Je hebt helemaal niets gezien.'

'Ik heb het opgezocht. Je stond afgelopen winter op de voorpagina van de *Los Angeles Times*. Iedereen kan het zo zien. Ik begrijp niet waarom je niet eerlijk tegen me bent geweest.'

Ze keek hem dof aan, haar ogen vlak en verslagen. Hij wilde dat hij niets had gezegd.

'Ik kan je niet vertellen hoe verschrikkelijk het allemaal is,' fluisterde ze.

Hij wist niet of ze op hem of op het lot van haar man doelde, of op de toestand in de wereld.

'Het zal wel vreselijk zwaar voor je zijn geweest,' zei hij. 'Ik vind het heel erg voor je.'

'Ach, ik weet niet,' zei ze plotseling ontspannen, haar blik afgewend en bijna glimlachend, bijna met de blik van de vrouw die hij in de tijdschriften had gezien: stoïcijns, onversaagd.

'Ach, ik weet niet,' zei ze opnieuw en ze zuchtte. 'Ik ben aan de Zoloft gegaan. Ik kwam heel erg aan, ik werd er dik van, maar god, ik heb het overleefd.'

Het klonk alsof ze het vaker had gezegd, veel vaker.

Misschien tegen de presentator van een praatshow. Ze kneep haar ogen samen, toen flitsten ze weer naar hem open.

'Je denkt vast dat ik gek ben,' zei ze. 'Waarom ben je dan toch gekomen?'

Hij aarzelde en liet de manieren waarop hij op haar vraag kon antwoorden de revue passeren. Hoe moest hij uitleggen dat haar uitnodiging hem had geroerd? Hoe moest hij de leegte beschrijven waarin hij was beland, een plek waar vrijwel alle aanraking was opgehouden te bestaan, zelfs de meest terloopse uiting van tederheid was weggenomen, uitgewist door zijn geboorterecht. Zijn vrouw nam die onheuse behandeling niet waar. Deze vrouw zou het begrijpen, dat wist hij zeker. Hij kon door een menigte lopen en lichamen van zich weg voelen deinzen. Hij werd overal gevolgd door de ogen van onbekenden, moeders, kinderen, soldaten, politieagenten, jazeker, die ogen keken naar hem, speurend naar een teken dat hij kwaad had verricht; hij had een melaatse kunnen zijn, zoals die ogen naar hem keken. Hoe bijbels was zijn lijden. Hij herkende het als een westerse reactie op zijn situatie. En waarom ook niet? Hij had hier meer dan de helft van zijn leven gewoond. Dat nu juist zij hem wilde aanraken. Uitgerekend zij.

'Ik ben gekomen omdat jij me dat had gevraagd,' zei hij.

'Doe je altijd wat onbekende vrouwen je vragen?'

Nee, nee, hij had zoiets nog nooit gedaan.

'Soms,' zei hij.

'Is er niet nog een reden? Morbide nieuwsgierigheid? Iets in die richting?'

'Nee. Natuurlijk niet. Een beetje. Heus, het ligt heel eenvoudig. Je bent een bloedmooie vrouw. Op mijn leeftijd begint een man zich dingen af te vragen.'

'Nieuwsgierigheid,' zei ze. 'Ordinaire, morbide nieuwsgierigheid.'

'Nee.'

Hij leunde naar haar toe om haar borst aan te raken. Toen ze zijn hand wegduwde, aaide hij over haar haren, uit de behoefte om haar haren en haar gevoelens tot iets liefhebbenders, iets minder woedends te schikken. Hij voelde hoe hij geraakt werd door haar duistere verdriet dat zijn mond leek in te kronkelen als oude rook die hij wilde verdrijven.

'Luister, ik wil je leren kennen,' zei hij. 'Ik wil je begrijpen. Ik denk dat twee mensen elkaar kunnen leren begrijpen al zijn ze nog zo verschillend als wij, zelfs al hebben we maar één nacht samen.'

'Jij wilt mij begrijpen,' zei ze.

'Ja, ik wil jou begrijpen,' zei hij. 'Dat wil ik. Dit is allemaal heel vreemd voor me. Het spijt me als ik de verkeerde dingen zeg.'

Ze zei niets.

'En jij?' zei hij. 'Waarom heb je mij uitgenodigd? Een merkwaardige keuze. Vind je ook niet dat het een heel vreemde keuze is?'

'Ja. Heel vreemd.'

'Dat vraag ik me af.'

Hij besloot het gevoel van ongemakkelijkheid opzij te zetten en de touwtjes in handen te nemen, zich als een man te gedragen. Hij boog zich over haar heen en nam haar gezicht stevig tussen zijn beide handen, en kuste het, steeds opnieuw, eerst teder en allengs krachtiger, maar niet op haar mond, nooit op haar mond, omdat ze zich van hem bleef afwenden, tot ze hem helemaal wegduwde en opstond, met het laken om haar naaktheid te bedekken, naar het raam liep en het openzette, zodat alleen nog het gordijn tussen henzelf en de buitenwereld was, een gazen gordijn dat opbolde in een wind die de kamer binnendrong. Ze keek naar buiten, alsof ze op zoek was naar het uitzicht waarvan hij wist dat het er niet was. Het licht viel inmiddels schuin naar binnen.

'Vertel eens iets over je vrouw,' zei ze.

'Ik houd van haar.'

'Echt waar?'

'Natuurlijk. We zijn heel gelukkig samen. We hebben twee dochters. Het zijn brave meisjes. Ze horen bij de besten van de klas.'

'Waarom ben je dan hierheen gekomen?'

Waarom drong ze zo aan? Hij keek naar haar, alleen bij het raam, met een laken tegen haar borst geklemd. Haar gezicht was nu zo open, zo onverhuld, dat hij zich een ogenblik uit zijn evenwicht gebracht voelde, alsof hij voorover viel. Hij vroeg zich af of daarin haar aantrekkingskracht school: haar onverhulde emotionaliteit, haar bereidheid om te voelen. Zo anders dan zijn vrouw.

'Ik ben hier vanwege jou,' zei hij.

'Ik vraag me af of je evenveel van je vrouw houdt als ik van mijn man heb gehouden.'

'Dat weet ik niet.'

'Ik hield heel veel van hem, weet je. Maar hij is er niet meer, en nu ik met jou samen ben, kan ik me hem nauwelijks meer voor de geest halen.'

'Is dat niet juist goed?' bracht hij in. 'Om met je leven verder te gaan?'

'Nee, dat is niet goed,' zei ze. 'Het is juist verkeerd. Het is slecht. En zinloos. Het is opmerkelijk hoe zinloos vrijen kan zijn.'

Hij vatte haar opmerking niet persoonlijk op. Hij was al te zeer vervuld van de werkelijkheid van haar naaktheid, met alleen een laken tussen hen en hun volgende vrijpartij; hij hoorde nauwelijks wat ze zei. Hij was al eens in haar geweest en zou dat weldra weer zijn. Dat begreep hij nu, dat al deze woorden en gebaren een soort spel waren, een spel dat geen invloed had op de afloop. Hij vond haar heel mooi, zoals ze daar bij het raam stond. Hij stelde zich haar voor, verpletterd door het besef dat haar man voor altijd was verdwenen. Even zag hij in een visioen dat zij zichzelf iets aandeed, misschien de weg op stapte, om de pijn te ontvluchten. Hij zag zichzelf bij haar, alsof zij op twee plaatsen tegelijk waren, een waar zij alleen bij het raam stond, en een andere waar hij haar in zijn armen wiegde en haar met zijn tranen en strelingen overdekte. Het stemde hem treurig om zich haar zo lijdend voor te stellen. Het stond op haar gezicht te lezen. Ze had iets intens over zich. Het vermogen om te lijden.

Hij ging op de rand van het bed zitten. Hij probeerde er wereldwijs uit te zien, zoals hij daar naakt zat, alsof hij aan dit soort dingen gewend was.

'Moet je horen, we praten te veel,' zei hij. 'Kom hier.'

Ze verraste hem door niet tegen te sputteren. In plaats daarvan sloot ze zorgvuldig het raam, kwam naar het bed toe, en ging uitgespreid liggen als een boeganker, een offergave, haar armen loom en gewichtloos boven haar hoofd, haar benen kuis naast elkaar van hem weggedraaid. Haar gezicht had zich weer gesloten tot iets vlaks en karakterloos. Ze keek naar de muur. Hij wilde het goedmaken, alle ongeduld en onhandigheid van hun eerste vrijpartij. Hij was er ditmaal niet op uit om aan zijn eigen impulsen te voldoen. Voorlopig voelde hij zich verzadigd. Maar hij wilde met haar samen zijn, teder voor haar zijn, haar voldoende op haar gemak stellen om het risico te durven nemen hem haar hartstochten te laten zien. Hij volgde de ronding van haar kin naar haar hals, liet toen zijn vingertoppen over haar sleutelbeenderen gaan. Hij wilde haar texturen en valleien in kaart brengen. Hij voelde zich eerder cartograaf dan minnaar. Ze zei niets. Evenmin keek ze hem aan. Haar voortdurende seksuele passiviteit verbijsterde en irriteerde hem. Het was mogelijk dat zij zich door zijn aanrakingen onteerd voelde. Of verveeld. Dat kon hij niet bepalen. Maar in elk geval vroeg ze hem niet om op te houden. Hij streek met zijn handpalmen over de binnenkant van haar benen en over haar venusheuvel, streelde elke borst in tedere, geduldige cirkels. Geduldig. Hij wilde vooral geduldig zijn. Het was duidelijk dat ze nog steeds herstellende was van haar verlies. Aan hem de taak om haar te genezen. Hij was onder de indruk van haar complete gebrek aan interesse om hem het gevoel te geven dat hij de goede aanpak had. Haar lichaam was slap en reageerde niet. Hij spreidde haar benen en begon haar dijen te kussen. Ze gaf geen teken. Nu hij geen tegenstand ontmoette, duwde hij zijn gezicht in haar schaamstreek en begon haar te likken. Ze smaakte schokkend onaangenaam. Naar aluminium, ijzervijlsel en antibacteriële middelen. Hij wilde zich verontschuldigen, zich excuseren, het laten afweten.

'Doe dat nou niet,' zei ze en sloeg onhandig op zijn schedeldak. 'Doe dat alsjeblieft niet. Ik voel me nooit op mijn gemak met dat gedoe. Je vindt het vast niet lekker om dat te doen. Alsjeblieft.'

Haar protesten sterkten hem. Hij zette door. Hij likte langzaam, zette zich over zijn onbehagen vanwege haar medicinale smaak heen, tot ze daar absoluut stil, gezwollen en glinsterend lag, maar niettemin onverbiddelijk afstandelijk. Hij likte. Hij had water kunnen zijn dat op een gletsjer drupte. Toch ontleende hij hoop aan tekens van dooi. Haar onaangename smaak werd gaandeweg vervangen door een vluchtige maar onmiskenbare smaak van opwinding. De spieren in de dij die tegen zijn wang rustte trilden en vertrokken. Ze kreunde misschien ook wel. Er steeg een geur van wilde dieren van haar op. Ze was dichtbij, heel dichtbij. Maar toen ontvlood ze hem op onverklaarbare wijze opnieuw tot ze vlak en mat onder zijn tong lag.

Het gaf niet. Hij zette zijn tong weer in beweging, langzaam, teder, zonder op iets van haar kant aan te dringen. Helemaal niets. Hij hield vol. Tussen zijn schouderbladen groeide stijfheid. Hij negeerde die, omdat hij voelde dat ze een soort bevrijding naderde. Hij was geduldig. Hij voerde haar weer diezelfde trage rivier op en voelde opnieuw de trekkingen en hoorde haar kreunen, maar die vielen weer weg, en opnieuw voelde hij niets bij haar, zelfs geen frustratie. Hij hield vol. Haar kern ontging hem, dook weg zodra hij te dichtbij kwam. Hij begon te twijfelen. Zijn tong voelde verschroeid, verdoofd door de zaaddodende pasta. Hij voelde zich oud. Hij voelde zich onbekwaam, ongespierd en ongeschoold in de omgang met vrouwen. Waar was ze nu? Het lichaam dat hij bewerkte voelde verlaten aan. Hij was alleen. Hij was in eenzaamheid in een soort rusteloze beproeving terechtgekomen, een vloeibare plek zo weids als de zee waar golf na golf van gedwarsboomde begeerte oprees en hem dreigde te overspoelen, maar de golven verdwenen op het laatste moment steeds weer op onverklaarbare wijze en lieten hem in vlak, onbeweeglijk water achter waar hij tot bedaren kwam en alle begeerte hem verliet. Hij merkte dat hij uitgeput was. Een matheid vervulde zijn mond en een grotere matheid zijn geest. Zijn kaak deed pijn. De pijn tussen zijn schouderbladen werd steeds dringender. Hij durfde niet te bewegen, van positie te veranderen, want deze vrouw zou het zeker opvatten als een teken van ongeduld en dan zou alle vooruitgang die hij had geboekt, verloren gaan. Gefrustreerd duwde hij zijn gezicht dieper in haar vouwen tot hij vond wat hij zocht, en zijn lippen en tanden er hard overheen wreef. Ze slaakte nauwelijks hoorbaar een kreet, en hij voelde hoe ze haar knieën bijeen trok om zichzelf te beschermen.

Hij hield op.

'Heb ik je pijn gedaan?' zei hij.

'Helemaal niet. Je hebt me de heerlijkste sensaties geschonken,' zei ze. 'Dank je wel.'

Ze lag daar en bedankte hem tot hij er volkomen van overtuigd was dat ze niets had gevoeld. Hij liet zijn hand van knie tot dij tot venusheuvel glijden, en verwachtte zichzelf iets bemoedigends te horen mompelen, maar hij merkte dat hij haar in plaats daarvan woedend in het kruis greep. Haar lichaam verstijfde. Hij zag hoe ze haar tanden op elkaar zette en wegkeek, zonder zich te verzetten of zich aan hem over te geven, wat hem tot grotere woede dreef – waarom was ze hierheen gekomen als het niet was om zich te vermaken? – en hij boog voorover, tot dicht bij een borst, die hem op dat moment kinderlijk en kwetsbaar voorkwam en daarom de aangewezen plek om haar verdediging te doorbreken. Tot zijn doffe verbazing voelde hij hoe zijn mond zich rond de tepel sloot en hard beet. Tot zijn grotere verbazing klemde zij zijn hoofd dichter tegen zich aan, in reactie op de pijn, sloeg ze een aards gegrom uit en draaide haar heupen naar hem toe tot hij zich niet meer kon inhouden en op haar neer beukte tot ze nog slechts een in de wind klapperend vaandel was.

12

Als ik aan mijn echtgenoot denk, krijgt deze man geen vat op me, dacht ze, en met die gedachte om haar moed te geven, voegde ze zich weer bij hem op het bed. Ze ging liggen en sloot haar ogen. Ze begreep in elk geval verstandelijk dat hij haar wilde plezieren, haar een geschenk wilde geven in de vorm van seksuele ruimhartigheid. Haar man was niet iemand geweest om dat soort gebaren te maken. Zijn seksuele ruimhartigheid was conventioneler. Hij was erg trots geweest op zijn vermogen om zijn climax te beheersen, wat hem in staat stelde om haar een uur of langer per keer te blijven beuken, zonder te zwichten, zonder verlies van zelfdiscipline, zonder dat zijn erectie verslapte. Hij liet zich 's ochtends uit bed vallen en drukte zich dan dertig keer op, een ritueel dat hij 's avonds en twee keer overdag herhaalde, en diezelfde spieren gebruikte hij om haar ijverig te rammen, en al die tijd hield hij beleefd zijn gewicht van haar af, tot alle begeerte haar had verlaten, tot ze uitgeput en zwak was, en een dweil. Haar man had een hekel aan orale seks gehad. Hij had het onhygiënisch en vies gevonden. Hij weigerde in haar mond klaar te komen. Hij had eenmaal met succes geprobeerd om haar oraal te bevredigen en hij had er zo overduidelijk van gewalgd dat zij had gezegd dat het haar geen plezierig gevoel had bezorgd, en ze had dat speciale genot met plezier opgegeven omdat hij er geen genot aan beleefde. Ze gebruikten altijd zowel een condoom als een pessarium. Hun seks was keurig. Ze waren jong getrouwd. Ze was hem nooit ontrouw, in elk geval niet fysiek; evenmin had ze een hekel aan de manier waarop hij zijn affectie liet blijken. Zijn manier om haar te beminnen was te zeer verweven met zijn zelfbeeld, zijn gedisciplineerde aard, om te kunnen veranderen.

Toen ze eens door een zware griep was getroffen en volledig uitgeput was geweest van de koorts en het voortdurende overgeven tot haar tandvlees opgezet was en haar ogen bloeddoorlopen waren, had haar man haar dag en nacht verzorgd, hij had haar kleine schilfers ijs te eten gegeven, erop gelet dat ze genoeg water dronk, hij had haar elk uur naar de badkamer gedragen om haar te laten plassen en haar regelmatig afgesponsd om haar op te monteren. Het had haar goed gedaan hem te zien klaarstaan om haar te hulp te schieten als ze uit haar koorts opdook en haar ogen opende. Het was een toewijding die haar verbijsterde en die ze nooit helemaal had kunnen beantwoorden. Het was een standaardgrapje tussen hen tweeën dat haar opvatting van dokteren erop neerkwam dat het aan hemzelf was om beter te worden. Op de dag dat ze er het slechtst aan toe was, toen zelfs het laken aan haar huid pijn deed, vond hij een manier om haar voeten te masseren die haar geen ongemak bezorgde, en hij wreef haar voeten op diezelfde tedere manier tot haar hele lichaam doortrokken was van een gevoel van welbehagen, en ze in slaap viel. 'Ik zou die remedie in een flesje moeten stoppen,' zou hij nog jaren daarna zeggen.

Nu werd ze aangeraakt door een veel vloeiender soort

man. Zijn aanraking was haast vrouwelijk. De grenzen waren onduidelijk. Ze wist niet zeker wat haar rol was. Deze man gebruikte zijn tong heel veel. Ze schaamde zich omdat ze besefte hoe naïef ze in seksueel opzicht was, en dat op haar leeftijd. Ondanks al haar voorbereidingen en plannen had ze zich niet één keer de natte werkelijkheid van hem in haar voorgesteld, van zijn pik die tegen haar binnenkant rustte, zonder dat een condoom hen scheidde. Haar verbeelding had haar nooit meegevoerd naar dat moment, maar had haar altijd achtergelaten op de drempel van iets vaags en aseksueels. De werkelijkheid waarin hij zo dicht bij haar kern was, vervulde haar met verwarring en schaamte. Niet alleen om wat hij deed maar ook om wat hij was. Ze was even met afschuw vervuld toen ze zich probeerde in te denken wat voor diepe motivatie haar ertoe had gebracht om hem uit te kiezen, een motivatie die niet werd gedreven door haar bewuste wil maar door een andere kracht, alsof ze door demonen was bezeten. Ze probeerde zich te ontspannen en aan andere dingen te denken. Zijn aanpak was haar zo vreemd dat hij eerder nieuwsgierigheid dan begeerte wekte. Hij leek het niet erg te vinden. Het enige was dat hij langzamer ging. Ze vergat hem even. Er was zoveel meer om over na te denken. Over zijn vraag, bijvoorbeeld. Wat waren haar motieven geweest om hem uit te nodigen? Wat was het? Hij bleef haar afleiden met zijn aanrakingen tot ze alleen nog een vage irritatie voelde, wilde dat hij ophield, maar ook weer niet, omdat hij, als hij ophield, weer zou willen praten en ze wilde nu juist nadenken.

En toen beet hij haar. Een kakofonisch gebulder steeg uit haar buikstreek naar haar keel. Geschokt besefte ze dat het geluid dat ze uit haar mond hoorde komen niet op een kreet van protest leek; het was niets meer of minder dan een diep gespin. Ze klemde hem tegen zich aan en beet terug, in zijn schouder, en voelde hoe hij haar bij haar hals greep en bij haar binnenging en haar om zich heen op en neer bewoog tot ze niets anders kon doen dan ja zeggen. Haar heupen schokten en sprongen vrijwel onafhankelijk van haar geest rond hem, tot ze de harpij in zichzelf voelde opstaan en lachend en schreeuwend voelde wegrijden, en haar lichaam verried haar en vond zijn eigen ontspanning. Nu lag hij boven op haar. Misschien hoorde ze gesnik. Hij bleef in haar. Ze duwde hem niet weg, al was hij zwaar en was zijn huid klam. Ze voelde hoe haar lichaam hem telkens weer vastgreep, hem probeerde vast te houden terwijl hij uit haar wegtrok, tot hij ten slotte uit haar glipte en ze gescheiden waren. Hij liet zich van haar afglijden en ze lagen zij aan zij en ze voelde opnieuw het verdriet van het alleenzijn.

Ik moet wel van hem houden, dacht ze. Ik moet van hem houden als ik hem op deze manier in me toelaat, als ik toelaat dat hij me zo roert. Ze voelde zich uitgeput, verslagen.

'Waar denk je aan?' vroeg hij.

'Ik dacht,' mompelde ze op de rand van de slaap, 'ik dacht aan jou. Je bent mijn eerste, weet je.'

'Je eerste?'

'Mijn eerste moslim,' zei ze. 'Mijn eerste Arabier.'

'Ik ben geen Arabier,' zei hij. 'Ik ben een Pers. Daar zijn grote historische verschillen tussen. En ik ben niet bijzonder godsdienstig. Ik ben waarschijnlijk de meest seculiere moslim die je ooit zult tegenkomen.'

Maar ze was al in slaap gevallen.

13

Ik zou nu moeten weggaan, dacht hij. Ik had nooit moeten komen. Ze is verstrikt in een abnormaal soort verdriet en in een erotische fantasie waar ik part noch deel aan wil hebben. En de seks is niet geweldig.

Maar toch sprong hij niet onmiddellijk overeind. Hij probeerde zichzelf te begrijpen. Het lichaam van de vrouw was eerder efficiënt dan erotisch. Haar schaamlippen waren mager. Haar lichaam had niets genereus. Ze werd blijkbaar in beslag genomen door een morbide behoefte die hij ternauwernood doorgrondde. Hij had nooit moeten komen.

Ze lag op haar zij te slapen, met haar gezicht naar hem toe, een laken over haar heen dat de glooiing van haar heupen benadrukte. Hij zou moeten weggaan, hield hij zich voor, hij zou moeten weggaan; en toch kon hij het niet laten om het laken op te tillen zodat hij haar opnieuw naakt kon zien, zeker nu haar lichaam in sluimering en weerloos voor zijn onderzoekende blikken lag uitgestrekt. Het stukje bont tussen haar benen en de zachte kleur van haar tepels vervulden hem van een duizelig verlangen, maar hij raakte haar of zichzelf niet aan om het te verlichten. Minutenlang keek hij naar haar lichaam, vervuld van schuldbewust plezier in zijn rol van voyeur, zichzelf kwellend met de gedachte dat één kus op de zachte ronding van haar buik haar vast niet wakker zou maken. Maar hij raakte haar niet aan. Trots op zijn zelfbeheersing stond hij ten slotte op, zocht zijn kleren bijeen en kleedde zich aan. Hij zou haar achterlaten om haar haar eigen problemen te laten oplossen. Zijn benen en schouders trilden van de scherpe naschokken van hun laatste vrijpartij. Hij hoopte dat hij haar geen blauwe plekken had bezorgd. Hij wilde niet wreed zijn. Ze had genoeg geleden, het arme mens. Hij kleedde zich weloverwogen aan, bij elke beweging moest hij nadenken, alsof hij een taak verrichtte waarmee zijn handen en voeten niet vertrouwd waren. Tegen de tijd dat hij in zijn broek was gestapt en erin was geslaagd om zijn overhemd dicht te knopen, had hij zijn gedachten enigszins verzet. Het was niet nodig om overhaaste beslissingen te nemen. In plaats van meteen te vertrekken zou hij even naar buiten gaan, om haar tijd te gunnen om te slapen. Hij kon ook wat dingen uit zijn auto halen, voor het geval hij uiteindelijk zou besluiten te blijven. Hij pakte de sleutel van het nachtkastje. Ik moet hem meenemen, dan kan ik terugkomen zonder te hoeven kloppen en haar wakker te maken, dacht hij. Ik hoef nu niets te beslissen. Ik kan de sleutel bij de receptie achterlaten als ik besluit weg te gaan.

Hij opende de deur en sloot hem zacht achter zich.

De loper in de gang, hier en daar verschoten en tot op de draad versleten, strekte zich in beide richtingen uit met een verlammend patroon van ruiten en kruisen. Tussen elk paar deuren hing een wandlamp in de vorm van een Franse lelie. De verlichting was gedempt. Sommige lampen waren doorgebrand. Hij liep zacht door de lege gangen naar de foyer, waar tot zijn grote opluchting een man achter de balie zat. De man wuifde vaag naar hem en glimlachte. Hij wuifde terug, blij met het contact. Verder was de foyer verlaten en donker in de hoeken, alsof het management had besloten te besparen door lampen met een te laag wattage te kopen.

Hij besloot een wandeling te maken om zijn benen te strekken en zijn hoofd helder te krijgen. Hij sloeg af om achterom het hotel te verlaten, in de richting van de oceaan, en zag tot zijn verbazing door de achterramen dat het zonlicht nog leefde, na alles wat hem was overkomen sinds hij voor het laatst aan de zon had gedacht. Hij stak het terras over waar ze hadden gezeten, stapte door de glazen deuren naar buiten, over het grasveld en naar de rand van het klif dat over het water uitkeek. De wind van die middag was vrijwel geheel gaan liggen. De lucht was bedekt. Een bloedrode reep scheidde de lucht en de zee, die zich beide gespikkeld en vlak en grijs uitstrekten. Toen dook de zon achter de horizon en werd alles donker, zonder een vermoeden van een overgang tussen dag en nacht. Hij bleef roerloos staan en dwong zichzelf de schoonheid van dit ogenblik te ervaren, maar hij kon niets anders denken dan dat hij het allemaal al eens had gezien. Hij bleef verscheidene minuten staan in een poging een gepaste ontroering op te roepen, lang genoeg om de klamme lucht op zijn huid te voelen neerslaan. Nu het donker was, aarzelde hij om de trap naar het strand af te dalen en erlangs te wandelen, zoals hij van plan was geweest. Hij kon nog net een rafelige witte rand onderscheiden wanneer een golf omsloeg; verder was het schouwspel beneden hem een leegte van mist en grijsheid waar allerlei types op de loer konden liggen. Het geluid van de branding bracht hem in evenwicht. Wat nu? Het zou het verstandigst zijn om hier vandaan te gaan. Hij kon haar zonodig achteraf het geld voor de kamer sturen. Maar dat was helemaal geen goed idee. Als hij nu naar huis reed, zou hij te vroeg thuiskomen voor de leugen die hij zijn vrouw had verteld, dat hij naar de oostkust zou vliegen voor een zakelijke bijeenkomst en dat hij niet voor de volgende avond terug zou zijn. Hij zou onderweg een andere kamer moeten nemen, een kamer zonder naakte vrouw in bed die hem warmte zou verschaffen. Belachelijk. Wat een verspilling van een leugen. Nee. Hij zou blijven. Natuurlijk zou hij blijven. Als hij weer was bijgekomen zouden ze opnieuw vrijen, en ditmaal volmaakter en met meer tederheid dan eerst. Hij had geen andere keus. Zij was zo plotseling als het lemmet van een mes in zijn leven gekomen om hem van de eentonigheid van zijn dagen te bevrijden. Hij dacht terug aan haar naakte lichaam, onbeschermd in haar slaap, en zijn eigen lichaam reageerde met zoveel verrukking dat het alle gedachten aan iets anders dan aan haar – haar haren, haar borsten, haar kut – verdreef tot hij het in de leegte voorbij het klif uitschreeuwde en hoorde hoe de bulderende zee het geluid van zijn stem verzwolg en naar hem terug spuwde.

14

Ze droomde dat ze bij een benzinestation was. Ze moest plassen. Toen ze de deur naar de toiletruimte opendeed, merkte ze dat ze ergens was terechtgekomen waar het op de terminal van een luchthaven leek. Op een bordje boven haar hoofd stond EINGANG. Een bewaker vroeg naar haar legitimatiebewijs. Ze keek omlaag en zag dat ze dat verscheurd had, haar papieren lagen in flarden op de grond bij haar voeten. 'Sie hat keinen Pass' schreeuwde de bewaker, en plotseling was ze omringd door soldaten die hun geweren op haar richtten en haar bevelen toeblaften. Voordat ze haar konden arresteren, vluchtte ze terug door de deur naar het benzinestation waar tot haar opluchting haar man de tank van hun auto stond vol te gooien. 'Wat me nu is overkomen,' vertelde ze hem. 'Als je die deur door gaat, kom je in Duitsland terecht. Oost-Duitsland, denk ik.' Haar man zei: 'Ik kan goed gezichten onthouden, maar namen niet zo. Hoe heet jij ook alweer?' Tot haar afgrijzen ontdekte ze dat ze hem dat niet kon vertellen. Een verlamming in haar mond weerhield haar ervan om te spreken. 'Dat geeft niets,' zei haar man. Hij kneep zijn ogen toe zoals ze hem nog nooit had zien doen. 'Mensen zoals jij,' zei hij. 'Ik weet hoe ik jullie moet noemen. Er is een naam voor mensen zoals jij.' Toen greep hij haar vast en kuste haar zoals hij haar in werkelijkheid nog nooit had gekust, met zijn tong in haar keel, zijn ruwe baard die langs haar lippen raspte, waardoor ze wakker werd.

De droom vervulde haar van zoveel angst en afschuw dat ze haar ogen weer sloot, in een poging de bron van de macht die de droom over haar had te ontdekken. Zij en haar man waren in het begin van hun huwelijk samen naar Duitsland gereisd, dus dat deel van de droom had een zekere basis in de werkelijkheid. Ze had echter geen onaangename associaties met de reis, behalve een weemoedige spijt dat haar man niet Spanje of Italië had gekozen voor hun eerste gezamenlijke reis naar Europa, in plaats van een oord dat haar nogal kil voorkwam. Waarom de droom haar naar die plek en die tijd had teruggevoerd, ontging haar volkomen.

Ze had één keer eerder over haar man gedroomd, kort na zijn dood. In die droom had hij zijn armen naar haar uitgestrekt en gelukzalig geglimlacht, en ze was wakker geworden met een vredig gevoel, een gevoel dat hij, waar hij ook verkeerde, gelukkig was. Maar in deze droom had hij die stijfgeschouderde houding van hem aangenomen, de houding die zijn manier was geweest om zijn afkeuring jegens haar te laten blijken. Hij hield dat soms dagen of weken vol, zonder haar ooit precies te vertellen wat ze had misdaan, en zonder ooit echt toe te geven dat hij niet gelukkig met haar was. Het bracht haar van haar stuk dat het vredige gevoel van de ene droom zomaar door de volgende kon worden weggerukt. Kon je dan nergens op vertrouwen?

Het drong tot haar door dat ze alleen in bed lag en ze opende haar ogen. Had hij haar alleen gelaten? Was hij vertrokken? Ze tastte naar het lichtknopje en deed het licht aan. Hij was nergens te bekennen. Hij had gedaan waarvoor hij was gekomen en had haar weer verlaten. Zijn kleren ontbraken. Maar zijn geur hing er nog. Overal. In haar. Ze voelde zich getekend, geïnfecteerd, misbruikt. Niets was zoals ze het zich had voorgesteld. Hij was haar vreemd. Zijn huid had een onbekende kleur. Zijn penis in haar kleiner dan zij zich herinnerde dat een penis moest voelen. Hij had reukwater op. Hij stond te dichtbij. Hij sprak zijn woorden te zorgvuldig uit. Hij was een van hen. Ze had hem uitgekozen omdat er geen mogelijkheid was dat ze van hem zou houden. Maar hij had deze vreemde, irrationele, onvoorspelbare begeerte die de laatste weken in haar was opgekomen niet geblust maar juist aangewakkerd. Hij had haar lichaam laten klaarkomen. Ze was van plan geweest om in elk geval dat deel van haar buiten deze situatie te houden, maar haar lichaam was uit eigen beweging met deze satyr, dit gedrocht aan de haal gegaan. Dat kon alleen maar betekenen dat ze gevoelens voor hem koesterde. Ze voelde angst opkomen. Ze wreef over haar huid, haar vulva. Die lichamelijke ontspanning kon toch niet meer zijn dan een dierlijk instinct dat ze zonder hem of zonder gedachte aan tederheid kon reproduceren. Ze wreef door in een poging iets te bewijzen dat in vergetelheid onder de verschuivende bedoelingen van haar wil lag begraven, bedoelingen waar ze geen vat op leek te hebben. Toen hoorde ze de sleutel in het slot en ze voelde hoe ze zich netjes en snel opvouwde tot ze weer beschaafd was, met een gezicht en een lichaam die alleen kuise stemmingen kenden.

'Ik bedacht dat ik maar even mijn spullen uit de auto moest halen,' zei hij, en hij stak een lampje naast de deur aan.

Hij glimlachte als een idioot kind.

'Ik dacht dat je genoeg van me had,' zei zij.

'Natuurlijk niet.'

'Het spijt me. Alles is de laatste tijd erg heftig voor me.'

'Dat begrijp ik.'

Hij had een scheeretui en een kleine weekendtas bij zich.

'Je reist licht,' zei ze.

'Ik ben er niet van uitgegaan dat ik veel nodig zou hebben.'

Hij zette de tas op zijn helft van het bed, kuste haar, en ging met het scheeretui de badkamer in.

Ze lag op het bed te luisteren naar de geluiden die hij maakte terwijl hij zich opfriste. Ze voelde zich dichter bij een soort werkelijkheid, een soort waarheid over wie en wat ze was. Naakt zijn in aanwezigheid van een onbekende man had zijn eigen schitterende helderheid die het residu dat haar al maandenlang aankleefde had weggevaagd. Waarom was ze hier ook alweer? Om bij een man van zijn soort te zijn. Bemin uw vijand. Zoiets. Ze stond op en volgde hem de badkamer in, zonder de moeite te nemen zich te bedekken. Hij had zijn scheerapparaat en scheerschuim tevoorschijn gehaald en stond zijn gezicht in te zepen.

'Ik bedacht dat ik me weleens voor je kon scheren,' zei hij. 'Tenzij je het lekker vindt als je huid rauw wordt geschuurd?'

Ze gaf geen antwoord.

'Nou ja, hoe dan ook, dit karwei maak ik af. Laten we die ruwe ervaring maar voor een andere keer bewaren.'

Het scheren had iets concreets, een verwijzing naar

normaliteit die haar bemoedigde. Het was zo lang geleden. Maar de man zelf klopte niet. Een verontrustende parodie van haar man. Te donker en te kort en te breed. Alleen kon ze zich op dit moment nauwelijks herinneren dat ze ooit een man had gehad, omdat ze werd overspoeld door een ander beeld: van zwartharige mannen die langzaam hun armen, benen en borstkas schoren, die met een rechthoekig scheermes over elke centimeter van hun huid gleden, vol naar zichzelf verwijzende erotiek en rituele precisie, in voorbereiding op hun komende offer en herrijzenis.

Hij glimlachte door het scheerschuim naar haar.

'We kunnen de deur uitgaan,' zei hij. 'Wat eten. Tenzij je dat liever niet wilt.'

Ze stond achter hem en keek naar hen beiden in de spiegel. Zij was naakt, hij geheel gekleed. Net als eerst. Ze keek hoe haar armen hem van achter af omhelsden.

'Dat is fijn,' zei hij en hij leunde onder het scheren tegen haar aan.

Ze keek hoe ze hem in zijn nek kuste. Zijn nek was opmerkelijk warm. Ze legde haar beide handen eromheen en ontdekte dat ze hem bijna met haar vingers kon omvatten. Daarna legde ze haar handen op zijn schouders en genoot van de warmte van zijn huid door zijn gesteven katoenen overhemd. Vertrouwd. Niet vertrouwd.

Hij begon zijn hals te scheren.

'Jij bent niet wat je lijkt,' zei hij.

'Nee,' zei ze. 'En jij bent niet wat jij lijkt. Waar kom je vandaan?'

'Oorspronkelijk? Uit Teheran. Maar lang geleden. Dat wist je. Je hebt het me al eerder gevraagd.'

'Wanneer ben je daar weggegaan?'
'O, jaren geleden.'
'Ga je niet terug?'
'Nee.'
'Waarom niet?'
Hij had zich in zijn oor gesneden. Een vlekje rood sijpelde door het schuim.
'Nare herinneringen,' zei hij.
'Nare herinneringen,' zei zij, en stilzwijgend gaf ze haar goedkeuring aan de klank van de woorden, filmisch en ongecompliceerd.
Ze liet haar armen zakken en liep terug de slaapkamer in. Haar rok en blouse en panty en ondergoed lagen over de grond verspreid waar hij ze had neergegooid toen hij haar uitkleedde. De wanorde van haar eigen spullen bedrukte haar. Ze voelde de aanvechting om al haar kleren in de prullenbak te proppen, de sporen van hun gedrag uit te wissen. In plaats daarvan betrapte ze zich erop dat ze haar weggegooide kleren zorgvuldig een voor een opraapte en in de kast hing. Had ze niet op het punt gestaan ze weg te gooien? Haar gevoel voor tijd en haar wilskracht waren uitzonderlijk instabiel. Ze wist niet wat ze van zichzelf kon verwachten. Werd dat veroorzaakt door de geur van hun seks? Ja, de geur in deze kamer ontstak een warmte in haar die tot bloei kwam en zich tot in haar vingertoppen verspreidde en verder uitstraalde. Ze vroeg zich af hoe het zou zijn om met haar nieuwe, stralende persoon naar buiten te treden aan de arm van deze exotische man die zich op dit moment in de badkamer voor haar stond te scheren. Zou hij haar hand pakken? Zouden ze op een intiemere manier over straat lopen, heup aan

heup, hun erotiek waarneembaar voor alle voorbijgangers, hij met een hand op haar billen of onder haar blouse, zonder zich erom te bekommeren wie het zag, zelfs ervan genietend wanneer mensen het zagen? Later zou hij in een hoek van een verduisterd restaurant over de binnenkant van haar dijen strelen en haar tepels tot een erectie knijpen terwijl de barkeeper toekeek.

Nee. Dat was niet goed.

Van haar stuk gebracht door deze platvloerse beelden belandde ze abrupt in een andere fantasie, van hem zittend in de keuken bij haar thuis, terwijl de koffie doorliep en zij eieren aan het bakken was. Of nog een beter idee was om hem mee te nemen naar haar moeder, waar hij gezeglijk en vol respect zou zijn; hij zou tijdens het uitgebreide maal van haar moeder zijn onberispelijke manieren tentoonspreiden. Een van de specialiteiten van haar moeder zou op het menu staan, ongetwijfeld kalfs- of varkensvlees, afgerond met een van de drie lievelingsdesserts van haar moeder, die alleen voor speciale gasten bij speciale gelegenheden werden klaargemaakt. Na het diner zou hij aanbieden om af te wassen en zij zou alleen nog maar meer van hem houden, met zijn zwart behaarde onderarmen in het sop in haar moeders gootsteen, en als de vaat was gedaan, zouden ze haar moeder gezelschap houden door samen met haar naar *Rad van Fortuin* te kijken, voordat ze zich in de logeerkamer boven zouden terugtrekken, een kamer vol frivolité en fauteuils en antimakassars, waar ze onder de zelfgehaakte sprei van haar moeder een zweterige partij zouden neuken, met gedempte stem ter wille van het decorum. De volgende ochtend zou ze hem slapend achterlaten en kort na zonsopgang naar beneden sluipen waar ze haar moeder al wakker zou aantreffen, sinaasappels persend in de keuken, en ze zouden een gesprek van moeder tot dochter hebben, en haar moeder zou dingen zeggen als: 'Weet je het wel zeker, schat?' en 'Houd je echt van hem?' en 'Maakt hij je gelukkig?' en zij zou zeggen: 'Ja, ja, o ja.' Ze volgde de scène tot deze hoogst onwaarschijnlijke afloop alsof haar leven en haar verstand ervan afhingen; alsof dat, als ze het zich maar lang en intens genoeg voorstelde, een soort werkelijkheid zou verlenen aan de situatie waarin ze zich bevond, alleen met deze man die erop stond om teder te zijn, maar intussen hoorde ze eronder de lelijke, compromisloze roffel van een verre oorlogstrom, die haar waarschuwde voor chaos of gruwelen die op til waren.

Ze trok zijn weekendtas naar haar kant van het bed en ritste hem open. Twee overhemden, twee lange broeken, twee boxershorts. De overhemden waren gesteven en keurig opgevouwen, rechtstreeks van de wasserij. Ze haalde een van zijn overhemden eruit en rook eraan, knoopte hem toen los en liet hem over haar schouders glijden. Het was een fijn gevoel. De broeken zouden vast te wijd en te kort zijn. Dat gaf niets. Ze kon hem met haar rode sjaal vastsjorren. Dat deed ze en ze bekeek zichzelf in de spiegel. Ze raakte haar ontvelde lippen aan. Ik zie er echt uit als een vrouw die een dag in bed heeft doorgebracht met een onbekende man en toen zijn kleren heeft geleend, dacht ze. Afgezien van de sjaal, duidelijk iets vrouwelijks, die als een brutale bloedrode sjerp rond haar middel zat geknoopt. Ze was te oud om zonder beha rond te lopen. Maar de manier waarop haar tepels door het katoenen oppervlak schenen als ze op een bepaalde manier bewoog, beviel haar. Heel erg. Hij had haar een mooie vrouw genoemd. Een man zou zoiets tegen zijn hoer kunnen zeggen. Niettemin had het haar ontroerd.

'Ik ben een mooie vrouw,' zei ze hardop, maar zacht, zodat hij haar niet kon horen. Ze draaide naar links om zo naar zichzelf in de spiegel te kijken, en toen naar rechts. 'Zie je dan niet hoe mooi ik ben?'

'Ik zie het,' zei hij.

Ze vouwde haar armen voor haar borsten alsof ze naakt was in plaats van volledig gekleed.

'Die kleren staan je goed,' zei hij.

Ze legde het niet uit, noch verontschuldigde ze zich, maar in plaats daarvan zocht ze haar schoenen onder het bed op en ze trok ze zonder naar hem te kijken aan.

'Ik neem aan dat je dit soort dingen voortdurend doet,' zei ze.

'Niet voortdurend. En je weet ook wel dat het nu anders ligt.'

'Dat maken mensen zich altijd graag wijs. Dat het anders ligt. Dat wat ze doen op de een of andere manier niet smerig en uitbuiterig en betekenisloos is.' Ze lachte.

Hij stond een stukje van haar vandaan, misschien een beetje naar een kant geleund, of in elk geval leek hij in haar ogen enigszins uit balans.

'Niet doen,' zei hij.

Ze keek hem aan.

'Doe nou niet alsof er hier niets van betekenis is gebeurd,' zei hij. 'Zelfs al geloof je dat dat het geval is, gun ons dan om net te doen alsof het niet zo is.'

Ze vond haar portefeuille in haar tas en bracht hem

over naar haar broekzak. 'Natuurlijk kunnen we de tijd doden,' zei ze. 'Nog zestien uur de tijd voordat we moeten uitchecken. Dat is niet zo lang. Eigenlijk is het een heel leven. Je hebt gelijk. In zestien uur kan heel veel gebeuren. Zelfs iets wat betekenis heeft.'

Hij trok haar overeind en probeerde haar zacht op haar voorhoofd te kussen. Een ogenblik verward door zijn tederheid draaide ze haar hoofd weg.

Hij liet haar weer los.

15

Toen hij de kamer inkwam, zag hij haar in de spiegel naar zichzelf kijken. Het kwam maar zelden voor dat zijn vrouw zichzelf zo accepteerde, dat ze in staat was haar lichamelijke feilen over het hoofd te zien en genoegen te scheppen in haar lichaam. 'Ik ben een heel mooie vrouw,' hoorde hij de weduwe zeggen, en hij had het gevoel dat hij haar op een bescheiden manier had geholpen dat in te zien. Toen ze hem zag staan, werd ze ongedurig en gegeneerd, waardoor hij haar weer in zijn armen wilde nemen. Hij voelde hoe haar lichaam verstijfde in reactie op zijn kus. Dat tergde hem. Hij had niet verwacht dat ze hem nog op enig niveau zou afwijzen nu ze minnaars waren, nu ze haar laatste verzet tegen hem had opgegeven. Ze waren minnaars. Maakte dat niet alles anders? Hadden ze nu niet een mate van vertrouwdheid bereikt die al het persoonlijke te boven ging? Nu ze allebei weer hun kleren aanhadden, gedroeg zij zich alsof er niets intiemers tussen hen beiden was dan tussen twee mensen die elkaar op straat passeren. Het was zijn eigen schuld. Hij had voorgesteld om even de deur uit te gaan. Als hij tien jaar jonger was geweest, had hij haar keer op keer kunnen berijden zonder rekening te houden met zijn arme pik, die nu even rust nodig had, en dat was eigenlijk het enige waar hij over inzat, verdomme, hij had een excuus nodig. Hij had geen zin in zo'n gênante vertoning. Zijn mobiel ging over. Hoe kon dat nou? Zijn mobiel lag naast het bed te rinkelen. Hij wist zeker dat hij hem had uitgezet. Ze keek hem aan alsof ze wilde zeggen: zie je wel? Ik ken je. Hij had het gevoel alsof hij tot iets anders transformeerde, niet langer minnaar, maar echtgenoot, overspelige. Want natuurlijk was het zijn vrouw. Vier, vijf, zes keer ging hij over. De weduwe staarde naar hem.

'Neem je niet op?' zei ze.

Hij was met stomheid geslagen. Hij wilde de telefoon niet opnemen. Hij wilde niet dat zijn bijkomstige leven in het heden doordrong, in zijn tijd met haar. Hij hield haar stevig bij haar ellebogen vast, een ogenblik bevangen door het idee dat zij zelf misschien zou proberen op te nemen.

De telefoon hield op met rinkelen.

'Zullen we dan maar gaan?' zei hij.

'Waarom heb je niet opgenomen?' vroeg ze.

'Dat weet je ook wel.'

Hij zonk terug op het bed. Ze stond boven hem en keek opmerkelijk sereen op hem neer. De kamer had iets benauwds en slordigs, alsof hij in de kamer van een ander terecht was gekomen, van iemand die nog niet wist hoe hij voor zichzelf moest zorgen. Haar op hem neerkijkende gezicht was zo ontwapenend open dat hij voelde hoe haar ogen door hem heen keken alsof ze door een open raam naar binnen keken, naar de diepte van zijn schaamte. Haar onbewogenheid was een soort winter voor hem, niet onvriendelijk, maar niettemin zonder gevoel.

'Zullen we dan maar gaan?' zei hij nog eens.

16

Ze liet zich door de moslim door de gangen leiden, geabsorbeerd door het gewicht van zijn hand, die aan een slinger deed denken. Hij was de enige man van zijn soort die haar ooit had aangeraakt. Af en toe stelde ze zich voor dat ze een primitieve, barbaarse schoonheid in zijn trekken kon onderscheiden, een soort woestheid, en het stimuleerde haar dat ze zo dicht bij de bron ervan verkeerde. Het hielp als ze hem niet van te dichtbij bekeek en niet al te lang over haar motieven nadacht. Onder het lopen voelde ze zich in de rol vervallen van gelukkige minnares na de eerste vrijpartij, genietend van de blos op haar wangen, het wiegen van haar heupen, de vervuldheid van haar kern, nog steeds gezwollen en geschaafd van het vrijen. Een ander ik, even vitaal, vond de aanraking van zijn vingers op haar hand onbekend en angstaanjagend krachtig, zelfs bijna onaangenaam van heftigheid. Een derde ik keek vanaf veilige afstand toe, volkomen losstaand van haar lichaam en zijn keuzes. Waar bevond zich dan haar ware ik? Dat kon ze niet zeggen. Ze had het gevoel dat als ze op hun tocht de ene gang boven een andere verkozen, ze aan het eind een ander mens zou zijn. Ze hield zijn hand ontspannen vast en liet niets blijken van haar innerlijke verwarring. Wat zouden haar vrienden zeggen? Ze zou het natuurlijk niemand vertellen, behalve misschien degene die er een seksuele loopbaan van had gemaakt om met buitenlandse studenten naar bed te gaan, die haar weg door het hele Afrikaanse continent had geslapen en nu halverwege Europa zat; maar zelfs voor deze avontuurlijke vriendin zouden de details moeten worden veranderd. Ze zou moeten zeggen dat de moslim een Duitser of een Braziliaan was, om de schok, de perversiteit te vermijden, maar in dat geval deed het er nauwelijks toe of ze ook maar iets zei. Ze werd overweldigd door een golf van schaamte toen ze aan de heldere waarheid raakte dat ze iets zo oneerlijks, zo twijfelachtigs deed, dat ze het er zelfs met de moreel minst eisende van haar vrienden niet over kon hebben. Wat had het voor nut als het nooit meer genoemd kon worden? De volgende ochtend zou ze nog steeds even eenzaam en verward zijn. Die gedachte bezorgde haar het gevoel dat ze doorzichtig en leeg was, en ze trok haar hand weg en volgde hem zonder hem aan te raken. De gang versmalde en mondde uit in de foyer, die er 's avonds iets minder haveloos en verwaarloosd uitzag, al was hij dan leeg afgezien van de man met de dikke vingers die ze de vorige avond tijdens het diner had gezien, die naast zijn vriendin de duistere eetzaal in tuurde. Ze volgde de moslim die vlak bij de man en zijn vriendin ging staan, en net als zij drieën staarde ze door de gesloten glazen deuren.

''s Niet open,' zei de man.

Ze kon nu goed zien dat de vrouw in zijn gezelschap een stuk jonger was dan hij, nog veel jonger dan ze de avond tevoren in het schemerlicht van de eetzaal had gedacht. Vanavond droeg de man met de dikke vingers geen keurig pak maar een vuurrood poloshirt. Zijn dunne haar viel over zijn voorhoofd en zijn bleke, simpele gezicht. Hij was dronken op de bijna functionele manier die gewoontedrinkers over zich hebben. Het meisje was rechtdoorzee op de klinische wijze van een gymlerares of verpleegkundige.

Ze staarde de eetzaal in, verbijsterd dat ze zich in zulk gezelschap bevond.

'Ik vraag me af of ze eraan hebben gedacht om de vissen te voeren,' zei ze.

De moslim liep weg en ze bleef alleen achter in het gezelschap van deze twee, deze onbekenden, deze landgenoten. Ze wist niet of ze hem moest volgen of achter moest blijven. Ze keek hoe hij door de foyer naar de receptie liep, waar een hotelemployé achter de balie zichzelf op een hoge draaikruk heen en weer zat te duwen, met zijn ogen op de tegenoverliggende muur en met openhangende mond. Ze besloot hem te volgen.

'Gaat de eetzaal vanavond misschien nog open?' hoorde ze hem vragen.

'De kok is ziek.'

'Kunt u dan misschien een restaurant aanbevelen? Hier in het dorp?'

De man deed een la open en haalde er een schrijfblok en een potlood uit. Hij staarde hen beiden aan, met het potlood tegen zijn lippen, alsof hij probeerde te bedenken wat voor eten hun zou bevallen. Toen schreef hij een adres op, scheurde het blaadje eraf en smeet het op de balie.

'Goeie tent,' zei hij. 'Plaatselijke specialiteiten. Krab. Visstoofpot.'

'Goeie tent?' De moslim pakte het blaadje op en bestudeerde het. 'Het moet echt goed zijn,' zei hij.

'Heel goed,' zei de man. 'Plaatselijke specialiteiten. Echt iets voor mensen als u.'

De man op de kruk keek in haar richting en begon vervolgens weer heen en weer te draaien. Zijn blik deed haar aan iets onaangenaams denken wat onlangs was gebeurd, maar ze wist niet precies wat. Het beeld van een buurman kwam in haar op, de buurman van twee huizen verderop die haar en haar man er altijd van beschuldigde dat ze hun hond op zijn grasveld uitlieten. Hij stond kennelijk voor het raam te wachten tot zij voorbij kwamen, of in elk geval had het er veel van omdat hij altijd als zij langskwamen de deur opengooide en over zijn pad rende om hun koste wat kost de hoopjes op zijn grasveld te laten zien en vervolgens de cirkels dood gras aan te wijzen, waarna zij het met hem eens waren dat iemands hond inderdaad weer was bezig geweest. Natuurlijk was het niet hun hond. Die deed dat soort dingen niet. Haar echtgenoot had het de man vele malen uitgelegd. Hij lette er altijd op dat de hond zelfs niet één poot op dat verdomde grasveld zette. Ze had er een gewoonte van gemaakt om als ze alleen was aan de overkant van de straat te lopen, tot haar man zei dat dat belachelijk was, het was immers net zo goed haar stoep. Zelfs toen de hond was gestorven, bleef de vijandigheid bestaan. En toen stierf haar man ook. Enige tijd daarna liep ze langs het huis van de man, toen ze hem bij het raam zag staan, en zonder dat ze het van zichzelf had verwacht, was ze naar zijn voordeur gelopen en had ze aangebeld. Toen hij opendeed, had ze tegen hem gezegd: 'U bent altijd zonder enige reden gemeen tegen ons geweest en nu zijn mijn man en mijn hond dood.' Verdriet en oprechte spijt hadden het gezicht van de buurman getekend. Een kort, stralend ogenblik lang stond ze daar en genoot van haar macht. Ze had kunnen glimlachen. Ze had het hem kunnen vergeven. In plaats daarvan draaide ze zich om en liet ze hem alleen om zijn zonden te overpeinzen. En nu leek deze man die op zijn kruk zat te tollen zonder enige aanleiding vijandig op de manier van de buurman met zijn hondendrollen. Waarom had hij het op haar gemunt, waarom staarde hij haar aan alsof hij een oordeel over haar velde? Ze had niet eens aan het gesprek deelgenomen. Ze had hem niet om hulp gevraagd. Misschien verbeeldde ze het zich maar.

'We kunnen de stad ingaan,' zei de moslim. 'Meneer hier heeft een tent in de stad aangeraden waar we kunnen eten.'

De man met de dikke vingers kwam voorzichtig dichterbij en trok zijn vriendin aan de hand mee.

'Kunt u ons een lift geven?' vroeg de man. 'We hebben wat problemen met de auto. We kunnen over het strand teruglopen. Dan heeft u verder geen last van ons.'

Ze wist dat hij ja zou zeggen. Zo iemand was hij.

'Prima,' zei hij.

'Geweldig,' zei de man.

Toen ze met zijn vieren twee aan twee wegliepen, zag ze haar eigen auto op het parkeerterrein staan, en ze verbaasde zich erover hoe vertrouwd hij eruitzag. De man die met haar opliep zag er ook vertrouwd uit, op een manier die ze nog niet had gedefinieerd. De eenvoudige handeling van naast een man lopen, welke man dan ook, was vertrouwd. Ze liepen over het vrijwel verlaten parkeerterrein naar zijn auto, een leigrijze tweedeursauto. Hij ontsloot de deuren. De andere twee klommen op de achterbank. Zij ging naast hem zitten. Hij reed achteruit en naar beneden, richting hoofdweg. Een kat of een ander klein dier rende over de deksel van een afvalcontainer aan de rand van het parkeerterrein, zijn ogen flitsten terug als een stel koplampen.

'Nogal krap hier achterin,' zei de man op de achterbank, hij lachte en liet een boer. 'Maar schuif uw stoel maar niet naar voren, we passen ons wel aan.'

'Het spijt me.'

'Het geeft echt niets,' zei de man. 'Je mag een gegeven paard niet in de bek kijken, zeg ik altijd maar.'

De weg liep steil omlaag en het licht van het hotel achter hen knipperde uit waardoor alleen het licht van zijn koplampen op de bomen haar nog afschermde van de totale duisternis die de auto te dicht leek te omsluiten. Ergens beneden hen, voorbij deze dichte bomen, was een stadje, en meer licht, nam ze aan. Ze herinnerde zich de ogen van het dier op de afvalcontainer, tot ze alleen nog kon denken aan alle andere dieren die vanuit het donker naar hen staarden. Het was het jaar van de eekhoorns met hondsdolheid, de kikkers met te veel poten. Die zomer had een poema een peuter aangevallen die in de achtertuin had zitten spelen; het kind bleef gespaard omdat zijn moeder met de lakens die ze aan het ophangen was geweest op de kaken van het dier had geslagen, het enige wat ze in haar bezetenheid om haar kind te verdedigen had kunnen bedenken, en het dier had het wonder boven wonder opgegeven en was weggerend. Ze stelde zich de gruwelijke angst van de moeder voor terwijl ze met haar lakens rondmaaide, en ze voelde haar eigen armen moe worden van de inspanning. Ze dacht dat ze de ogen van wilde dieren vlak buiten het bereik van de koplampen voorbij zag schieten. Ze keek naar de man naast haar en zag dat hij zich met een verbeten glimlach op de weg concentreerde.

'O nee, nee, nee, nee,' zei het meisje op de achterbank.

'Ze doet ineens verlegen tegen me,' deelde de man mee. 'Ze doet net of ze heel preuts is. Ze denkt erover om bij me weg te gaan.'

'Helemaal niet,' zei het meisje. 'Jij bedenkt alleen maar verhaaltjes om jezelf te vermaken.'

Ze voelde hoe de man vanaf de achterbank haar schouder beklopte.

'Ik betaal haar studie,' zei hij.

'Vandaar,' zei de moslim.

'We maken niet echt ruzie,' zei de man met de dikke vingers. 'Ik denk trouwens dat het heel goed is om ruzie te maken. Mijn vrouw en ik hadden nooit ruzie. Elf jaar samen en er is geen onvertogen woord gevallen. Op een dag kom ik thuis, ligt ze met een Mexicaan te neuken. Hij heette Cesar. Cesar kan de klere krijgen.'

'Dat moet verschrikkelijk voor u zijn geweest.'

'Het gaat wel weer. Bedankt. Eerst was elke dag klote. Maar daarna heb ik min of meer mijn hele leven omgegooid, weet u. Ik kwam in de dierengeneesmiddelen terecht. U hebt geen idee wat een geld er in de dierengeneesmiddelen valt te verdienen. De hele echtscheiding lang was het Cesar voor en Cesar na. Cesar heeft een fiets voor je dochter gekocht. Cesar heeft een fles champagne van tachtig dollar voor mijn verjaardag gekocht. Cesar kan de klere krijgen. Ik koester geen wrok.'

'Nee hoor, schat,' zei het meisje.

'Nee, echt. Want nu heb ik het allemaal. Geld. Seks. Ware liefde. God, ja.'

Hij bracht een geluid voort dat een gesnuif of een snik had kunnen zijn. Ze voelde zijn knuist weer op haar schouder en deinsde weg.

'Dat hebben jullie twee tortelduifjes natuurlijk ook,' zei hij. 'Hoe zit dat met jullie? Is het ware liefde?'

'Ware liefde,' zei de moslim.

Hij had alleen de woorden van de man met de dikke vingers teruggekaatst. Maar toen ze weer naar hem keek, leek hij een ogenblik lang getransformeerd, heroïsch. Hij keek niet naar haar. Ze zou hem achteraf niet vragen wat hij had bedoeld. Het was het soort uitspraak dat onder nadere beschouwing zou lijden.

'Jullie boffen,' zei de man. 'Ik zag het aan jullie ogen. Waar of niet, moppie? Heb ik niet meteen toen die twee opdoken gezegd: "Die twee hebben het licht van de ware liefde in hun ogen, schat"? Hou dat gevoel vast. Koester het. Je vindt van je leven niet meer zoiets prachtigs als de ware liefde. Wat bent u eigenlijk, Mexicaan?'

Hij trok aan de mouw van de moslim, en snoof opnieuw, of hij lachte. De moslim reed met zijn hoofd gebogen, zijn handen om het stuur geklemd, alsof hij zich schrap zette voor een gevaar dat op de loer lag. Ze aarzelde en raakte toen zijn knie aan.

17

De weg was donker, bijna alsof de lucht ondoorzichtig was. Hij reed langzaam en zei weinig. De man achterin dreinde door. Het hielp als hij de woorden als willekeurig geluid beschouwde, witte ruis. Hij gaf bij tijd en wijle antwoord, zich nauwelijks bewust van het gemompel dat over zijn lippen kwam. Zelfs na tientallen jaren in een Engelstalig land merkte hij dat er momenten waren waarop hij zichzelf kon dwingen de taal alleen als betekenisloze geluiden te horen en zich op die manier te beschermen tegen zinnen die hij liever niet op zijn geest wilde laten inwerken. Het hielp dat de weduwe naast hem zat. Onder het rijden keek hij af en toe naar haar. Ze zag eruit alsof ze verlangend uitkeek naar het moment dat ze het portier kon openen om weg te vluchten.

'Waar komt u eigenlijk vandaan, Mexico?' zei de man achterin.

Een vinger porde in zijn schouder. Hij voelde een steek van iets als angst, nu hij de stem van de man zo snel hoorde terugvallen naar iets vlaks en sinisters, waardoor een simpele vraag als een dreigement klonk. Belachelijk. Om voor een Mexicaan te worden aangezien door een man die Mexicanen haatte en dan bang te zijn om de waarheid te vertellen omdat hij dan misschien weer een andere onaangename reactie zou oproepen. Belachelijk. Hij voelde hoe het zweet hem uitbrak en een gevoel van hulpeloosheid hem overviel, waardoor hij niets liever wilde dan het deze man naar de zin maken, vrienden zijn met deze Amerikaan, en hij haatte zichzelf erom.

'Niet dat ik iets tegen Mexicanen heb,' ging de man verder. 'Behalve dan tegen die kerel die mijn vrouw neukte. De hele echtscheiding lang was het Cesar voor en Cesar na. Cesar kan de klere krijgen.'

De dreiging ebde weg. De man zeurde door. Hij hoefde geen antwoord te geven, hij hoefde zich niet te presenteren als een bepaald soort persoon uit een bepaald land. Hij voelde de hand van de weduwe op zijn knie, haar poging om een troostend gebaar te maken. Zij had zelf natuurlijk ook naar zijn afkomst gevraagd, diezelfde avond, en ook toen ze elkaar voor het eerst hadden ontmoet. Vele jaren geleden had hij al genoeg gekregen van die typisch Amerikaanse vraag, de manier waarop er niet alleen in besloten lag dat de persoon in kwestie een adres, de naam van een stad wilde weten om aan de hand van die informatie een woordeloos beeld van iemand te vormen, maar ook wilde horen dat je naar die andere plek verlangde, dat mystieke, beminde vaderland, de ware thuishaven, het anker waar je nooit van kon wegdrijven, zelfs al woonde je al jaren in een land waar een identiteit voortdurend verschoof, waar een acteur president kon worden en een glazenwasser een held. Wat verlangden die Amerikanen toch naar een voorouderlijk huis waar nooit iemand vertrok. Ze konden maar niet begrijpen dat dat thuis verdwenen was, dat het niet meer bestond. Zelfs de notie van thuis had tegenwoordig iets afgezaagds en treurigs, iets onnodig sentimenteels. En de laatste tijd had de vraag een nieuwe lading gekregen, de nieuwsgierigheid was vermengd met angst. Hoe vanzelfsprekend was het inmiddels om te worden gehaat. Hij negeerde die waarheid, voegde zich naar de wensen van degenen die hem omringden, probeerde onzichtbaar te worden, niet iemand die de aandacht zou trekken of opmerkingen zou losmaken. In winkels lieten jonge, puisterige verkopers zijn wisselgeld op de toonbank vallen en keken toe hoe zijn handen naar de stuivers en dubbeltjes graaiden, en hij hoorde hoe zijn eigen stem verontschuldigingen uitte. Het gegrijns, de onafgemaakte zinnen. Erger dan de onheusheid en de agressie van deze onbekenden was de manier waarop zijn vrienden hem behandelden, zijn vrienden met hun stomme politiek waar ze het altijd over wilden hebben, om te laten zien dat ze het begrepen, en de manier waarop ze hem bij hun gesprekken betrokken, alsof hij een gruwelijke, terminale ziekte had, zodat ze met zichzelf ingenomen konden zijn en zich christen konden voelen. En zelfs deze weduwe, deze vreemde, heftige vrouw naast hem, had hem alleen om die reden uitgekozen, om hem zelfs als ze de liefde bedreven te kunnen haten, om zijn lichaam te ervaren als een verboden vrucht, iets om van te eten en vervolgens weg te gooien, iets absoluut onmenselijks. Of misschien om te vergeven. Dat kon hij niet zeggen.

Nu zat ze weer apart, zonder hem aan te raken, met de versnellingspook tussen hen in, haar beide handen in haar schoot. De twee achterin waren ook stilgevallen. Ze hadden het stadje bereikt, en de hoofdweg strekte zich voor hem uit als een optocht van straatlantaarns in het donker. Hij reed verder. Een menigte mannen waaierde vanuit een bar het trottoir op, met bierflesjes in de hand, er klonk stampende muziek. Bij de volgende kruising stopte hij voor rood licht, en vier mannen renden voor de auto langs. De laatste gaf in het voorbijgaan een klap op de motorkap, zijn gezicht een ogenblik lang in een demonisch reliëf bevroren in het licht van de koplampen. Toen verdwenen ze in de nacht. Het licht sprong op groen en de auto reed verder. De lucht binnen benauwde hem. Hij deed zijn raam open en rook tot zijn opluchting de zee. Een paar straten verder herkende hij een straatnaam van het adres dat de man in het hotel hem had gegeven, en dankbaar sloeg hij af. Hij reed over gaten in de weg, voorbij caravans omgeven door hekken behangen met dode rozen die door zijn koplampen werden belicht en daarna weer tot duisternis vervielen. Een hond rende langs een hek en blafte naar de auto. Hij reed stapvoets voort, en speurde ijverig portieken en stoepranden af naar huisnummers, maar hij vond ze niet. Hij keek op en ontwaarde een paar huizenblokken verderop wat zijn bestemming moest zijn. Een reusachtig en vulgair neonlicht in de vorm van een krab torende boven de omringende daken uit, een krab die al knipperend zijn scharen opende en sloot. Toen hij dichterbij kwam, sijpelde het licht van het reclamebord de auto in en vulde hem rood knipperend met kunstmatige warmte. Zij keek naar het bord omhoog en zei niets. Hij reed een onverhard terrein vol auto's op, vond een plek achterin en zette de motor af.

'Hier is het,' zei hij.

'Dus dit is het,' zei de man achterin.

'Een ogenblik,' zei hij.

Hij deed zijn portier open, stapte uit en liep naar de andere kant van de auto om het portier voor haar te openen. Hij pakte haar hand.

'Ach, dat is ontzettend aardig,' zei ze.

Haar mond rekte zich uit tot een vage glimlach terwijl ze zich ontvouwde en opstond. De man en zijn vriendin volgden. Ze klauterden over elkaar en de stoelen heen en lachten omdat ze zo stijf waren. De twee bleven naast de auto staan wachten, alsof hij moest gaan lopen zodat zij hem konden volgen. Waarom gingen ze niet gewoon weg? Hij besloot ze te negeren. Hij sloeg zijn arm om haar schouders, vastberaden maar onbeholpen, aangezien ze een paar centimeter langer was dan hij, en leidde haar in de richting van de ingang. Dat hij haar op die manier vasthad, gaf hem het bemoedigende gevoel dat hij hun voortgang in de hand had. Hij versnelde zijn pas en zag zo kans om een afstand van een paar meter tussen hen en het andere stel te creëren.

'Hou nou toch op,' hoorde hij het meisje zeggen. 'Hou op. Waarom moet je je nou per se zo gedragen? En dat op een parkeerplaats, hoe kom je erbij. Wat moet ik nou toch met jou?'

Een schril gelach volgde. De deur van het restaurant ging open en een bejaard echtpaar kwam naar buiten, gevolgd door een vrouw die een wandelwagen naar buiten duwde terwijl haar man de deur openhield. De baby in de wandelwagen keek hem met ernstige ogen aan. Het schokte hem om een kind te zien in de context van zijn overspelige escapade.

'Ik heb weleens over deze tent gehoord, weet je,' hoorde hij de man die Cesar haatte zeggen. 'Goeie tent. Krab en visstoofpot. Dat is alles. Het staat in de gids. Je betaalt eerst en dan eet je zoveel als je wilt. De drank betaal je apart. Ik heb er iets over gelezen.'

Ze sloten achter aan in een rij voor de kassa.

'Ik heb een bloedhekel aan dit soort tenten,' zei de vriendin van de man, en ze streek door haar haren, legde haar vlakke hand op haar platte buik en gooide haar schouders naar achteren en haar kin in de lucht. Ze keek om zich heen alsof ze op zoek was naar een stel vrienden met wie ze dacht afgesproken te hebben. Hij had heel even medelijden met haar. Toen viel het hem op dat haar borsten abnormaal groot waren voor haar bouw, en hij schaamde zich dat zoiets hem opviel.

'Ik heb een bloedhekel aan dit soort tenten omdat ik altijd het gevoel heb dat ik me vol moet stouwen om mijn centen eruit te halen,' zei het meisje. 'Walgelijk.'

'Ga je gang, het is mijn geld,' zei de man. 'Eet maar weer zo'n vogelportie. Dat doe je altijd. Dat doet ze altijd.'

Die laatste woorden sprak de man uit alsof hij op een podium stond. Net alsof hij even uit zijn rol stapte om het publiek rechtstreeks toe te spreken. Had hij dan niet in de gaten dat niemand geïnteresseerd was in zijn onnozele probleempjes en triomfen? Gelukkig stonden ze inmiddels vooraan in de rij. Hij betaalde voor twee personen, pakte de weduwe bij de elleboog en leidde haar een lage zaal in volgepakt met tafels vol mensen met slabbetjes met daarop een grote rode krab, die uit een reusachtige roestvrijstalen schaal krabbenpoten zaten te eten. Hij leidde de weduwe door de menigte naar wat het enige lege tafeltje leek. Dit was niet wat hem voor ogen had gestaan. De omvang en de willekeurige anonimiteit van de menigte beangstigden hem. Hij had zich hen tweeën in een kleine, intieme, schemerige ruimte voorgesteld. In deze spelonkachtige eetzaal vol mensen verwachtte hij niet anders dan dat ze een bekende zouden tegenkomen. Iemand zou hen herkennen. Hij had met haar in het hotel moeten blijven, en niet ergens heen moeten gaan waar iedereen hen kon zien. Het geluid van stemmen en kletterend bestek weerkaatste tegen de muren, tot hij niets anders meer hoorde dan een luid en rusteloos gegons, een bijenkorf. Hij trok een stoel voor haar tevoorschijn en stootte daarbij tegen de stoelpoten van de man die vlak achter hen zat, die onmiddellijk overdreven op zijn zitting heen en weer begon te schuiven, voordat hij met zijn mond geopend in een stil protest opkeek. Hij bood zijn excuses aan. Toen ging ook hij zitten, bevangen door lafhartigheid, bang om te midden van het lawaai hun persoonlijke stilte te verbreken. Hij besefte dat hij zijn portefeuille nog steeds in zijn hand had. Zijn broek was de laatste tijd te krap geworden om met enig gemak zijn portefeuille weg te stoppen als hij niet stond. Hij aarzelde om weer op te staan en haar dat te laten merken. In plaats daarvan legde hij de portefeuille nadrukkelijk op tafel naast zijn servet en gaf er vervolgens een klopje op alsof hij zichzelf wilde bemoedigen. Hij vouwde zijn servet open en legde hem op zijn schoot, en glimlachte naar haar. Ze glimlachte terug. Ze hadden net zo goed geen minnaars kunnen zijn. Het was een merkwaardige vrouw. Hij legde zijn hand over de hare. Na een lange blik die hem van zijn onbehaaglijkheid doordrong begon ze te praten.

'Daar zit ik dan, me af te vragen wat ik tegen je moet zeggen,' zei ze. 'Heel vreemd, zo verlegen als ik me voel. Welbeschouwd.'

Ze moest schreeuwen om zich verstaanbaar te maken. Haar bekentenis ontroerde hem. Hij wilde haar op de een of andere manier een compliment geven, iets zeggen waardoor ze zich op haar gemak zou voelen.

'Ik zou zo zeggen dat je me inmiddels heel goed kent,' zei hij. 'Beter dan wie ook hier. Je hoeft je echt geen zorgen te maken over wat je moet zeggen.'

Ze keek opgelucht. Hij was ook opgelucht. Op deze manier hoefden ze verder niets te zeggen. Ze konden eenvoudig elkaars hand vasthouden, eten en vertrekken.

Hij dwong zich zich te ontspannen. Hij kon in het gebabbel niet één woord onderscheiden, geen flard van een zin, alleen een opdringerig, niet aflatend gegons. Hij probeerde betekenis in het lawaai te ontdekken. 'Wat? Verf jij je haar?' hoorde hij, voor het gegons terugkeerde en elk geluid dat hij als spraak kon herkennen afdekte. De weduwe wreef nu met haar duim in concentrische cirkels over zijn handpalm.

'Ben je gelukkig?' vroeg hij.

'Ik ben heel gelukkig,' zei ze. 'Ik ga er niet dieper over nadenken. Dat zit alleen maar in de weg.'

Ze kneep even in zijn hand en keek toen weg, alsof hij haar gestoord had en zij zich schaamde omdat ze was betrapt. Zijn blik werd aangetrokken door de gezichtsbewegingen van een oude man aan een andere tafel. De kaak van de man bewoog op en neer, op en neer, als een zuiger. Een schaal met stukken krab verscheen op hun tafel, gevolgd door twee schalen met visstoofpot. Hij proefde zand en zei niets.

'Het is echt niet zo dat ik dit ooit eerder heb gedaan,' zei ze.

'Maak je maar geen zorgen,' zei hij. 'Het gaat allemaal goed.'

In een opwelling boog hij naar haar toe en kuste haar op de mond. Ze glimlachte en keek om zich heen om te zien wie de kus had opgemerkt. Hij was zelf geschokt dat hij zoiets had gedaan. Hij was er de man niet naar om dat soort gebaren in het openbaar te maken. Hij probeerde eruit te zien als iemand die een vrouw waar dan ook zou kussen als hij daar zin in had. Hij voelde hoe zich op zijn gezicht een dun waas van zweet vormde. Hij sloot zijn ogen en probeerde zich te concentreren. Ze zouden eten en dan teruggaan naar het hotel. Ze zouden datgene afmaken waarvoor ze waren gekomen. Hij opende zijn ogen en merkte dat hij de beweging van een vuurrood shirt volgde dat zich een weg door de menigte baande naar deze tafel, jawel, naar deze tafel, met zijn vriendin in zijn kielzog.

'Ik weet dat jullie tortelduifjes liever alleen zijn,' zei de man. Hij ging zitten en liet zijn vriendin in haar eentje met de stoel worstelen. 'Maar dit zijn de enige twee plaatsen die nog vrij zijn,' zei hij. 'Mensen ploffen hier neer en dan eten ze door tot ze misselijk zijn. Zo doen ze dat in Amerika. Aanvallen maar.'

De hand van de weduwe trok zich terug van de zijne. Hij voelde een spanning rond zijn ribben die nog toenam toen de andere man een kreeftenpoot greep en aan de slag ging. De weduwe begon ook te eten, maar heel discreet; eerste pakte ze een tang en zocht de kleinste, meest verfijnde stukken krab in de schaal uit om ze vervolgens naar haar bord over te brengen. Ze kraakte een poot open en stopte het vlees in haar mond.

'Hoe hebben jullie tortelduifjes elkaar leren kennen?' vroeg de man.

'We kennen elkaar al ons hele leven,' zei hij kortaf, om haar de noodzaak om iets uit te leggen te besparen.

'Dat is ware liefde,' zei de man. 'Die duurt eeuwig. En als dat niet zo is, was het gewoon geen ware liefde.'

'Dat is prachtig,' zei het meisje.

'Ik dacht dat mijn vrouw van me hield,' zei de man. 'Daarom werd ik ook niet kwaad op haar. Ik pakte gewoon die Mexicaan aan, *mano a mano*. Moet je horen, zei ik. Dit is Amerika. We hebben hier wetten. Mijn vrouw is mijn bezit, zeg maar. Als je aan haar komt, mag ik je wettelijk vermoorden. Dus blijf uit de buurt. Ze houdt van mij, lul. Niet van jou. Ik haalde naar hem uit en hij ging tegen de vlakte. Mijn vrouw koos zijn kant. En toen wist ik het dus. Geen ware liefde. Dat is nou zeven jaar geleden. Zeven klerejaren. Cesar kan de klere krijgen. Waar blijft mijn vis?'

Hij kwam overeind, gooide zijn servet op tafel en liep weg, alsof hij even uit zijn weerkerende rol van bedrogen echtgenoot stapte. Het was kennelijk een rol die hij inmiddels uit zijn hoofd kende, wat hem de vervelende noodzaak bespaarde om nieuwe dingen te bedenken. Het meisje wuifde een vlieg van hun tafel. Haar ogen waren koel, onverstoorbaar. Ze zette haar ellebogen op tafel en haalde haar schouders op.

'Hij betaalt echt mijn studie,' zei ze. 'Vorig jaar heeft hij me meegenomen naar Mazatlán. Ik verzeker u dat hij over het algemeen echt niets tegen Mexicanen heeft, señor.'

De drie bleven misschien wel minutenlang zwijgend zitten, tot de man weer verscheen, zijn vooruitstekende buik inmiddels bedekt met een papieren slabbetje. In een hand droeg hij een kan bier. In de andere hield hij vier pullen. Hij plantte het bier en de pullen op de tafel, viste nog eens drie papieren slabbetjes uit zijn zak en deelde ze uit.

'De klootzakken zijn door de visstoofpot heen,' zei hij.

Hij schonk voor zichzelf een biertje uit de kan in, te snel, vooral schuim.

'Op de twee tortelduifjes,' zei hij, en hij tilde breed glimlachend zijn pul op. 'Ga je gang.'

'Ik drink niet.'

'Drinkt u niet? Drinkt hij niet?'

De man schoof zijn onderlip naar voren en knikte, alsof hij zich een mening vormde, en boog toen zo ver voorover dat zijn gezicht vlak bij de tafel was, met zijn ogen strak op zijn bord gericht.

'Twaalfstappenprogramma?' mompelde hij.

'Natuurlijk niet.'

'Natuurlijk niet. Natuurlijk niet. Je hoeft niet meteen kwaad te worden, broer,' zei de man. Toen kwam hij overeind, glimlachte nog eens, en nam een slok.

'Wees nou niet zo'n ongelikte beer,' zei het meisje. 'Schenk ons ook eens in.'

'Goed, dames.'

De man vulde twee pullen en gaf ze aan. Tot zijn ontzetting accepteerde de weduwe het genereuze gebaar van de man, sloeg het bier achterover en hield haar pul weer op om hem bij te laten vullen.

'Ik wil jullie wat vertellen,' zei de man. Hij boog zijn hoofd in de richting van het meisje en knikte toen veelbetekenend. 'Haar ouders hebben haar eruit gegooid. Jawel. Op straat gezet. Mensen!'

'Ik denk niet dat deze mensen lastig willen worden

gevallen met mijn geschiedenis,' zei het meisje. 'Je moet je niet opdringen. Dat hoort niet.'

'Jawel,' zei de man.

'Daar zul je het wel moeilijk mee hebben gehad,' zei de weduwe.

'Ach,' zei het meisje. 'Het viel wel mee. Ik heb een tijdje in een auto geslapen. Ik was nooit ziek. Ik gebruikte geen drugs. Mensen konden het gewoon niet geloven. Dat is nou echt een vechter, zeiden ze. Ze noemden me een vechter. Ik heb nooit drugs gebruikt. Daar ga je aan kapot.'

'Je bent heel dapper,' zei de weduwe.

De man met de dikke vingers keek over de tafel naar de weduwe, zijn ogen toegeknepen, zijn mond tot een dunne, lange streep vertrokken.

'U bent een filosoof, mevrouw,' zei de man.

'Het idee.'

'Nee nee,' zei de man. 'U bent heel diep. U denkt diep over dingen na. U heeft wijsheid in u. U bent een oude ziel. Een vechter. Ik heb het gevoel dat ik u ken. Ja. Net of ik u ken.'

Op zijn scherpe trekken brak een glimlach door. 'Ik ken u ook. Ik ken u,' zei hij. 'Het is de weduwe van de televisie, schat. Kijk haar nou. Niet te geloven. Het is de weduwe van de televisie.'

'O, god,' zei de vriendin. 'O, mijn god.' Ze schudde haar hoofd. Haar mond hing open in een overdreven geschokte uitdrukking. 'Mensen zoals u. Ik snap niet hoe u het voor elkaar krijgt. U bent een rots in de branding. Absoluut een rots in de branding. We steunen allemaal op u.'

'We zitten met een rots in de branding te dineren,' zei

de man. 'Die theedoekenkoppen komen er niet mee weg. Ik wil uw handtekening. Ja. O, ja. Niet protesteren.'

De man scheurde een stuk van het papieren tafellaken en zocht toen zijn zakken af naar een pen, zich verkneukelend om zijn eigen fortuin. Hij zocht niet verder naar een pen maar ging er bij de tafel naast hen een te leen vragen. 'Dat is verdomme de weduwe van de televisie,' hoorde hij de man tegen de mensen aan die tafel zeggen voordat hij met een pen terugkeerde en de weduwe aanspoorde om zijn papier te tekenen, wat ze ook deed. Hij propte het in zijn zak.

'Ik ben dronken,' zei het meisje. 'Je hebt het weer voor elkaar.'

De man strekte zijn hand uit en kneep het meisje in haar wang. 'Je bent er gek op,' zei hij.

Op dat moment viel het hem op hoe schrikbarend de handen en vingers van de man waren opgezet, dat ze uitstulpten als worstjes, en hij dacht: ja, dat is het natuurlijk, de man is fataal genotzuchtig, een zielsziekte, een ziekte van de circulatie.

'Uw man was een held,' zei het meisje, naar de weduwe toegebogen. 'Een echte held. Een echte, joodse held. Ik moet altijd huilen als ik eraan denk.'

'O, nee,' zei de weduwe. 'Zo was hij niet. Hij zou niet willen dat je hem op die manier zag.'

'Vertel eens wat over hem,' zei het meisje. 'Ik wil het graag weten. Ik wil het mijn kinderen kunnen vertellen.'

'Dat gaat je niets aan,' gooide hij eruit, en toen viel hij stil, zich afvragend wat hij had willen zeggen. Zijn eigen stem klonk hem vreemd in de oren. Hij wist niets zeker meer. Hij kon niet weten of de weduwe zich echt zo voelde als hij aannam. Ze had deze man tenslotte haar handtekening gegeven. Wie weet genoot ze er wel van om herkend te worden, misschien vertelde ze iedereen die ernaar vroeg over haar lijdensweg. Dat kon hij niet weten. Ze had het hem niet verteld. Hij wist alleen dat hij zich persoonlijk door de inbreuk geschaad voelde, alsof deze twee een lid van zijn eigen familie hadden aangevallen. Voelde ze zich gegeneerd? Had hij haar in verlegenheid gebracht? Waarom keek ze niet naar hem?

'Wat bent u, haar vriend?' zei de man, en hij nam hem scherp op alsof hij hem probeerde te plaatsen.

'Een vriend,' zei de weduwe.

'Ho eens even,' zei de man. 'Ho nou eens even. Een vriend. In een hotel.'

'Hij is een vriend,' zei de weduwe. 'Gewoon een vriend.'

'Een Mexicaanse vriend?'

'Toe nou, wind je nou niet zo op,' zei het meisje. 'We zijn dronken. Wind je nou niet op.'

Ze keken hem allebei aan. Hij voelde hoe een loodzware onvermijdelijkheid zijn geest verduisterde.

'Niet Mexicaans,' antwoordde hij. 'Perzisch.'

'Perzisch,' zei de man. 'Betekent dat zoiets als uit Perzië? Een deel van Thailand?'

'Hij bedoelt Arabisch,' zei het meisje. 'Arabisch, uit het Midden-Oosten.'

'Arabisch,' zei de man. 'Mijn neef is in de Golfoorlog omgekomen.'

'Niet Arabisch,' zei hij. 'Perzisch.'

Maar de man luisterde al niet meer. Nee. Hij zag een

betere, heldhaftiger rol voor zichzelf in het verschiet. Binnenkort hoefde hij het niet meer over Cesar te hebben maar kon hij iedereen vertellen over die keer dat hij zo'n theedoekenkop in elkaar had geslagen. Hij had tenslotte wel verwacht dat hem zoiets vroeg of laat zou overkomen. Al maanden, jaren. Zoals dit soort mensen alle verschillen en alle kwetsuren tot één enkel gevoel kon samenballen, dat ineens kon opvlammen en elke onschuldige op zijn pad zou verzengen.

'Vooruit,' zei hij tegen de weduwe, en hij probeerde gebiedend of op zijn minst zelfverzekerd te klinken, maar hij klonk smekend en klagelijk. 'Laten we weggaan.'

Eindelijk keek ze hem aan. Tot zijn verbijstering besefte hij toen zij hem aankeek dat hij haar niet langer meer beschouwde als een weduwe, een slachtoffer, een mislukt actrice of partner in een heimelijk rendezvous, maar als iemand die veel van hemzelf weg had. Een slachtoffer van willekeurig geweld. De schok beangstigde hem en bracht hem in vervoering. Zij was zichzelf, en hij hield van haar. Hij voelde hoe zijn liefde voor haar een moment om hen heen bleef hangen, hen versterkte, hen beschermde tegen een schril, lelijk licht waardoor ze werden beschenen. Daarna voelde hij zijn liefde uitdijen tot ze de ruimte in de zaal opvulde, en vandaar straalde ze verder, naar de bewoners van dit stadje, tot het einde der aarde en al het lijden, dat door deze treurende weduwe leek te worden belichaamd.

De man sloot zijn hand met witte knokkels van woede om het oor van zijn pul.

'En dan te bedenken dat ik het brood met je heb gebroken,' zei de man. 'Ik heb zin om je een knal voor je kop te geven, godverdomme.'

'Maak je nou niet kwaad,' zei het meisje. Ze klopte op de arm van haar vriend en wierp hem over de tafel een angstige, verzoenende blik toe. 'Ik heb eens van een vriendje een boek van Roemi gekregen,' zei ze. 'Laten we nou vrede sluiten.'

'Hou je mond,' zei de man met de dikke vingers tegen haar. 'Niet met hem praten.'

Hij stond op, maar langzaam, omdat hij het dreigende geweld niet met een ondoordachte beweging tot uitbarsting wilde laten komen.

'Vooruit,' zei hij nogmaals tegen de weduwe. 'Laten we gaan.'

Hij voelde een beklemming in zijn borst die hij geen angst wilde noemen en hij herinnerde zich weer hoezeer hij mensenmassa's verafschuwde.

'Moet je doen,' zei de man met de dikke vingers en hij kwam een stukje uit zijn stoel overeind. 'Maak maar dat je wegkomt. Jullie zijn allemaal schijtebroeken.'

'Hou je mond,' zei de weduwe. 'Het is een vriend van me.'

Eindelijk stond ze op. Hij greep haar hand en leidde haar weg, naar de uitgang. Zonder om te kijken. Niet te snel. Hij ontkwam er niet aan dat hij zich voorstelde hoe de man achter hen aan kwam, stoelen omvergooiend en mensen uit de weg duwend in zijn ijver om hem een klap te verkopen. Maar hij zou niet omkijken. In plaats daarvan keek hij naar de gezichten van de mensen die ze passeerden op zoek naar een teken dat ze door een vijandige kracht werden achtervolgd, en tot zijn opluchting merkte hij dat het gebabbel in de zaal gewoon doorging en dat de gezichten van degenen die ze passeerden bemoedigend onbewogen bleven.

18

Ze haastten zich over het parkeerterrein naar zijn auto. De handen van de moslim trilden toen hij het portier opende. De deur van het restaurant ging open, een strook licht viel over de geparkeerde auto's en twee vrouwen kwamen naar buiten. Een hoog lachje, bijna een gekakel, klonk hen over het parkeerterrein tegemoet. Hij maakte het portier voor haar open. Toen stapte hij zelf aan de andere kant in en sloot de portieren. Hij draaide het terrein af, reed een paar straten verder, en parkeerde plotseling aan de kant van de weg, waar hij met zijn vuisten op het stuur begon te roffelen, tot ze ervan overtuigd was dat hij zichzelf zou verwonden, of haar.

'Hou op,' zei ze, eerst zacht, maar toen harder, en nog eens harder, tot ze tegen hem schreeuwde, ze werd bang van de razernij en de angst in haar eigen stem, en uiteindelijk hield hij op. Hij leunde met zijn gezicht in zijn handen verborgen op het stuur. Toen strekte hij met overdreven waardigheid zijn rug en zette de motor af.

Ze stonden in een achterafstraatje geparkeerd. Niemand had het licht in zijn portiek opgestoken. Niemand had de deur opengedaan om de geluiden na te trekken waarvan ze wist dat die zo-even uit hun geparkeerde auto naar buiten waren doorgedrongen. Een straatlantaarn verderop langs de straat belichtte zijn handen op het stuur, maar niet zijn gezicht. De handen in het licht waren wonder boven wonder niet getekend. De dofheid die ze na haar eerste biertje had gevoeld, was weggetrokken, en alles was weer helder en scherp afgetekend.

'Het spijt me verschrikkelijk,' zei hij.

'Het geeft niets. Er is niets gebeurd.'

'Je hebt gelijk,' zei hij. 'Er is niets gebeurd.'

De handen op het stuur bewogen zich naar het gezicht. Hij wreef over zijn slapen en zuchtte.

'Ik hoop dat je het me vergeeft,' zei hij. 'Ik voel me even niet in staat om door te rijden.'

'Natuurlijk.'

Plotseling begon hij weer op het stuur te slaan en dingen te zeggen die volledig onbegrijpelijk voor haar waren, gebrabbel met veel g-klanken, en ze werd bang. In een reflex begon ze hem, of misschien zichzelf, te troosten.

'Stil maar, stil maar,' zei ze. 'Het komt wel weer goed. Alles komt goed. Stil nou maar. Zie je wel? Alles komt goed.'

Hij hield op, kwam weer overeind, zijn gezicht teruggetrokken in de schaduwen, en ze hoorde hem diep en met afgemeten teugen ademhalen, om tot bedaren te komen.

'Ik heb waarschijnlijk mijn billfold in het restaurant op tafel laten liggen,' zei hij ten slotte.

'Je portefeuille?'

'Ja. Mijn portefeuille.'

'Dan gaan we terug.'

'Hè ja. We gaan terug en dan vragen we de heer met

wie we hebben gedineerd of hij hem heeft gezien. Hij heeft hem vast al bij de receptie afgegeven. Met een liefdesbrief eraan vast.'

'We bellen het restaurant,' zei ze. 'Die pakken hem wel voor ons van de tafel. We gaan er morgenochtend heen. Misschien hebben ze het nog niet gemerkt.'

'Wie weet.'

Ze zaten nu zwijgend bij elkaar. In die stilte ervoer ze een vredigheid die op dat moment misplaatst was, besefte ze. Maar op dit ogenblik was er geen geschreeuw, geen aanraking, waren er geen angstaanjagende gebeurtenissen. Ze kon zich rustig dingen afvragen. Het was mogelijk dat ze zich boven hem verheven voelde. Haar man had nog nooit ergens zijn portefeuille op tafel laten liggen. Hij had nog nooit in enig opzicht haar hulp nodig gehad. Deze man hier bij haar was op dit moment min of meer aan haar welwillendheid overgeleverd. Ze vond het een troostrijke en opwekkende gedachte, het idee dat hij haar nodig zou hebben. Ze had het gevoel dat er lange tijd op deze rustgevende manier verstreek.

'Waarom moesten die twee in 's hemelsnaam zo nodig achter ons aankomen?' vroeg hij meer aan zichzelf dan aan haar.

'Misschien heb ik ze wel aangemoedigd,' zei ze.

'Aangemoedigd?' Zijn vingers in het licht strekten zich uit en balden weer samen.

'Het spijt me,' zei ze. 'Toen jij uitstapte en om de auto heen liep om mijn portier open te doen, heb ik gezegd dat ze welkom waren als er verder geen plaats was. Ik had zo'n gevoel dat ik dat moest doen. Ik had geen idee dat ze zich zo zouden gedragen. Ik maakte me ongerust of ik wel zou weten wat ik tegen je moest zeggen als we alleen waren.'

'We zijn de hele middag alleen geweest.'

'Ik was bang dat ik in details zou moeten treden,' zei ze, en ze had het gevoel dat ze opnieuw iets verkeerds had gezegd, dat hij beledigd zou zijn. Maar hij stak zijn hand uit en streelde haar voorhoofd op een manier die ze alleen als teder en liefhebbend kon beschouwen.

'Waar heb je het in vredesnaam over?' zei hij, maar zacht, alsof hij niet kwaad was; alsof hij haar echt wilde begrijpen.

'Ik ben tegenwoordig niet meer zo'n mensenkenner,' zei ze. 'Ik weet nooit wat er in mensen omgaat. Ik weet nooit wat ze van me willen. Mensen doen afgrijselijke dingen. En ze wonen in een gewone buurt. Ze sluiten vriendschap met buren als ik. Niemand weet iets van ze af. Ik denk er te veel over na. Af en toe denk ik dat iedereen om me heen eropuit is om me pijn te doen. Maar dan realiseer ik me hoe belachelijk dat is en dwing ik mezelf om het goede in mensen te zien. Om het beste van ze te denken. Zoals die man die met ons mee naar de stad reed. Voordat hij jou begon uit te schelden dacht ik: arme kerel. Hij heeft ook iemand verloren van wie hij hield. Daar kun je gek van worden.'

'Jij hebt het heel zwaar gehad,' zei hij.

'Ach, ik weet niet,' zei ze. 'Ik ben aan de Zoloft gegaan. Ik kwam heel erg aan, ik werd er dik van, maar god, ik heb het overleefd.'

'Niet doen,' zei hij. 'Behandel me nou niet alsof ik je publiek ben.'

'Goed,' zei ze.

'Vertel me nog eens waarom je me hebt uitgenodigd,' zei hij.

Ze voelde zich dof, gevoelloos.

'Mijn man vertelde me vroeger altijd wat ik van allerlei dingen moest vinden. Ik klaag niet. Ik hield van hem. Maar ik merk dat ik zonder hem niet weet wat ik denken moet. Jullie kunnen niet allemaal slecht zijn. Dat weet ik. Dat wilde ik voor mezelf bewijzen. Je vindt me vast een lelijk, schijnheilig mens.'

'Daar ben je heel goed in,' zei hij. 'Om me de waarheid te vertellen, maar dan wel op zo'n manier dat ik je zal tegenspreken.'

'Dat weet ik niet.'

'Nee, dat zal wel niet.'

Hij boog weer naar haar toe, met zijn gezicht in het licht. Van bovenaf belicht door de straatlantaarn zag zijn gezicht er als een masker uit. Toen greep hij haar armen zo stevig vast dat het pijn deed, en hij kuste haar vurig, op een manier die eerder primitief dan onthullend was. Hij liet haar weer los op het moment dat zij op het punt stond te roepen dat hij haar pijn deed. Hij begon met beide handen aan haar blouse te rukken tot die helemaal open was, en duwde vervolgens ruw haar beha omhoog tot haar borsten eronderuit vielen. Hij boog zich over de versnellingspook heen en begon op haar te zuigen, en al die tijd hijgde hij hevig. Ze verwonderde zich over haar macht. Ze had het gevoel dat ze de hartenklop van de aarde zelf in haar oren hoorde bonzen en in haar bloed door haar aderen hoorde ruizen, dat ze de aarde door de ruimte voelde springen en rollen. Ze kon zich nauwelijks overeind houden. Kijk. Ze leefde dus toch. Geen as, maar stevig vlees. Met deze donkere man die tegen haar borst gekropen zat, had ze zichzelf gevonden. Ze zag het allemaal en ze begreep het met een doordringende helderheid die haar de adem benam, totdat de mist kwam opzetten en ze weer even verward was als altijd.

19

Hij zag hoe ze daar zat, alleen, hoe ze met de achterkant van haar hand over haar lippen wreef alsof ze een vlek wilde wegvegen, en hij voelde hoe alle gezond verstand, alle wilskracht uit hem was verdwenen. Hij had een overweldigende aanvechting om haar te troosten, om haar tegen de teleurstellingen van het leven te beschermen, zelfs om haar gelukkig te maken. Hij besefte tegelijkertijd hoe onmogelijk het was, hoe pretentieus, om te denken dat hij haar ooit iets echts zou kunnen bieden. Zijn frustratie steeg, tot hij merkte hoe hij op haar aanviel, aan haar kleren trok tot haar borsten bloot kwamen. Hij wilde wanhopig graag haar oorspronkelijke wezen aanraken, van voordat ze door de gebeurtenissen beschadigd was geraakt. Haar borsten smaakten zoet. Hij voelde hun lieve vorm in zijn mond scherp en levendig alsof het iets pijnlijks was, en hij greep haar vast met zijn mond en zoog en probeerde het te begrijpen tot hij haar los moest laten omdat hij naar adem snakte, en hij hijgend en zonder zichzelf te begrijpen terugviel op zijn plaats.

'Schat,' zei hij.

Zij begon onmiddellijk haar kleren weer in te stoppen. Ze was in zijn ogen niet langer exotisch, maar gewoon: prachtig, volkomen normaal, alsof ze daar thuishoorde, daar naast hem gezeten, alsof ze tot een overeenstemming waren gekomen.

'Mijn man heeft me nooit op die manier beetgepakt,' zei ze.

Hij voelde het verwijt in haar woorden en zag de echtgenoot in de mist staan, zo dun dat hij van een droog, bros materiaal leek gemaakt, oneindig treurig, absoluut volmaakt, volkomen zuiver in de dood, en met een greep op deze vrouw waar hij nooit enige invloed op zou hebben.

'Het spijt me,' zei hij.

'Doe niet zo stom,' zei ze. 'Ik was helemaal niet van plan om je over hem te vertellen. Er zijn gesprekken die gewoon niet op hun plaats zijn als je met iemand naar bed gaat die je nooit meer zult zien.'

'Ik vind het afschuwelijk om daaraan te denken,' zei hij. 'Ik vind het afschuwelijk om eraan te denken dat ik je na morgenochtend nooit meer zie.'

Na die verklaring vond hij het onmogelijk om niet opnieuw boven op haar te springen, maar omdat ze hem de verdere toegang tot haar borsten belette, begon hij haar haren te kussen, niet vurig zoals eerst, maar met iets wat zij hopelijk zou opvatten als respect en tederheid, hoe onhandig het ook was om haar in zijn kleine auto te strelen. Hij dacht dat hij voelde dat zij hem terugkuste. Hij voelde hoe haar vingers zich om zijn nek klemden. Toen hij ophield met kussen keek hij naar haar gezicht en zag dat haar ogen gesloten waren. Toen ze weer keek, was haar uitdrukking gedwee, enigszins gegeneerd.

'Ik wil je iets vertellen,' zei hij. 'In het restaurant was er even een moment dat ik naar je keek en dacht dat ik je kon zien zoals je echt bent. Geen Amerikaanse, geen weduwe. Zelfs niet een vrouw. Maar een sterk en mooi individu. Mijn minnares. Ik had het gevoel dat ik je in alle opzichten begreep.'

'Maar ik ben weduwe,' zei ze. 'Ik ben een vrouw. Wat bedoel je toch? Wat kun je in 's hemelsnaam bedoelen?'

'Alleen maar dat we niet zo beperkt over elkaar hoeven te denken. We hebben deze tijd om samen door te brengen. Niemand kent ons hier. We kunnen alles voor elkaar zijn, al is het dan maar voor één nacht. Denk je niet dat je je mij op een andere manier kunt voorstellen?' zei hij. 'Als een individu? Niet als een bepaalde categorie? Al is het maar heel even? Voor één nacht?'

Ze keek hem aan met iets wat walging had kunnen zijn, alsof wat hij zo-even tegen haar had gezegd zo obsceen was dat ze een ogenblik geen woord kon uitbrengen. Toen ze uiteindelijk iets zei, was het op zachte, eerbiedige toon.

'Je moet één ding goed begrijpen,' zei ze. Haar stem was laag en gruizig. 'Toen die mannen mijn echtgenoot vroegen of hij jood was, zei hij: "Ja, ik ben jood." Hij zei niet: "Ik ben een individu." Begrijp je wat ik wil zeggen?' Ze tilde haar hoofd op en glimlachte vreugdeloos naar hem. 'Een individu. Wat is dat? Individuen zijn allemaal hetzelfde, weet je. Afgesneden van wat ze zijn. Ze zijn helemaal niets. De context is wat ertoe doet. Mijn echtgenoot was een jood. Geen goede jood. Maar hij gaf alles op om te kunnen erkennen wie hij was. Jij bent een moslim. Ik ben de weduwe van een jood. Dat is wie ik ben.'

'Nee.'

'Je begrijpt er ook helemaal niets van,' zei ze. 'Ik klaag niet. Ik ben wie ik ben. Zo was hij nu eenmaal. Ik vraag me af of jij dat zou kunnen, alles opgeven, je gezin, je leven, om voor één keer volkomen te zijn wat je bent? Zou jij dat kunnen?'

Haar woorden hadden een wilde, zuivere helderheid, alsof ze van een godsdienstfanaat afkomstig waren. De lucht weergalmde als van een stemvork. Hij had het gevoel dat ze hem de kans gaf zichzelf te redden, alsof ze hem had gevraagd om een onherroepelijke, juiste beslissing te nemen, een belofte af te leggen, en dat ze met een wilde blik in de ogen op zijn antwoord wachtte. Hij aarzelde. Hij vroeg zich af of ze geestelijk gezond was. Ze zei verder niets. En in die stilte werd hij opnieuw overspoeld door een besef van zijn omgeving. Hij hoorde hoe zich in een van de huizen een ordinaire ruzie afspeelde. Een motor startte. De gruwelijke geluiden van toevallige levens daalden op hem neer. Ze schudde haar hoofd en glimlachte.

'Laat maar zitten,' zei ze. 'Het doet er niet toe.'

'En wat beteken ik voor jou?' zei hij. 'Beteken ik wel iets voor jou?'

Ze keek hem door de duisternis aan. Ze knikte en raakte zijn gezicht aan.

'Je bent de eerste,' zei ze.

'De eerste sinds je echtgenoot.'

'Ja,' zei ze. 'Ik dacht dat ik precies wist wat ik van hem kon verwachten. Hij was altijd dezelfde. Elke dag met hem. Ik was altijd dezelfde. Wat wist ik nu helemaal? Wat voor verschil maakt het? Ik ben zo ongelukkig. Ik ben zo'n sukkel.'

'Nee,' zei hij. 'Dat ben je niet.'

'Jawel,' zei ze. 'Ik heb gruwelijke gedachten gehad. Ik heb een hele tijd een man van jouw soort pijn willen doen.'

De woorden kwamen als een zucht uit haar, een ontsnappend gas, en lieten haar leeggelopen achter, haar gezicht slap en doodsbleek.

'Wat bedoel je?'

'Ik weet het niet.'

'Vanwege je man?'

'Ik denk het. Om hoe we waren. Om wat er is gebeurd.'

'En nu?'

'Ik denk het wel,' zei ze. 'Om de touwtjes in handen te hebben. Om te zien wat voor gevoel dat geeft. Ik heb zoiets nog nooit gedaan. Dat is wat ik wil. Maar ik heb mezelf nooit toegestaan het me voor te stellen. Al die tijd niet. Tot op dit moment heb ik mezelf nooit toegestaan om me dat voor te stellen.'

Nu was haar gezicht weer stralend en mooi, beschenen door de gloed van de straatverlichting. Tot zijn verrassing merkte hij dat haar opmerking geen afschuw bij hem opriep. Het stemde hem zelfs niet ongelukkig. Een siddering van plezier en heftige opwinding ging door hem heen. Het idee dat ze zich eindelijk aan hem had blootgegeven, en op een veel intiemere manier dan door het uittrekken van kleren, of vrijen, of hem in woorden de details van haar verlies meedelen. Voor hem opende zich een kloof en in plaats van zich om te keren wist hij zeker dat het tijd was om die kloof in te vliegen, om zich voor één keer te ontdoen van de last een voorzichtig man te zijn. Een willekeurige hulpeloosheid bezielde zijn ledematen en geest. Hij wilde haar opnieuw aanraken, haar met zijn aanraking duidelijk maken dat hij haar begreep. In elk geval wilde hij de wringende handen tot bedaren brengen, haar verwarring met zachte woorden en aanrakingen gladstrijken. Maar uiteindelijk reikte hij niet naar haar. Nee. Het was beter om haar tijd te gunnen, haar de gelegenheid te geven om zelf tot rust te komen, zonder dat hij haar zijn wil oplegde, zonder dat hij voor haar uitmaakte hoe ze zich moest voelen. Door zich op die manier te beheersen voelde hij zich superieur aan haar echtgenoot, die een dergelijke zelfbeheersing niet aan de dag had gelegd, die haar kennelijk keer op keer had verteld hoe ze zich moest gedragen en wat ze moest denken. Het was beter om haar zichzelf te laten vinden. De juistheid van zijn handelingen vervulde hem met tevredenheid. Hij zocht zijn sleutel op en stak hem in het contact.

Voordat hij de motor kon starten, klonk een sirene, en een ambulance reed hen voorbij, de straat door en het zicht uit. Onmiddellijk op het decrescendo van de ambulance volgde het gedreun van laag overvliegende vliegtuigen, dichtbij en laag genoeg om de autoramen te laten trillen.

'Er is iets aan de hand,' zei hij. 'Een of andere noodtoestand.'

Zijn handen lagen losjes op het stuur.

'Ja,' zei ze. 'Er is iets gebeurd.'

Ze reden terug naar het hotel.

20

Nu ze weer terug waren in hun kamer, werden ze door een grote verlegenheid bevangen, waarbij elk gebaar met veel meer betekenis was beladen dan daarvoor. Toen ze binnenkwamen had ze het schemerlampje naast het bed aangedaan en het gordijn dichtgetrokken, kleine huishoudelijke handelingen, begeleid door bezige gebaren. Hij ging op de rand van het bed zitten en belde alle creditcardbedrijven die hij kon bedenken om zijn rekening te blokkeren. Hij merkte dat hij genoegen beleefde aan het herhaald draaien van een nummer en het gesprekje met die vrouwen met hun emotieloze, monotone stem, die kalm zijn zaak afhandelden en niets van hem verwachtten. De kamer zag eruit alsof hij deel uitmaakte van een ander leven en een andere tijd. En toch stond daar zijn eigen reistas, op de grond naast het bed waar hij hem had achtergelaten. Toen hij klaar was met zijn telefoontjes gingen ze samen onder de douche. Ze schrobde hem met het minieme hotelzeepje en zette hem toen onder de straal om hem af te spoelen. Hij voelde de eeuwen en de uren wegvallen, tot hij helemaal nieuw was. Zij bukte zich en zeepte hem in met de efficiëntie van een bejaardenverzorgster. Ze kusten elkaar niet. Toen ze hen beiden had afgedroogd, haalde ze uit de kast twee hotelbadjassen, overblijfselen uit een betere tijd. Ze hielp hem in zijn badjas. Terwijl hij op het bed ging zitten, keek hij in de spiegel naar haar. Haar borsten waren precies zoals hij ze zich van die middag herinnerde. Haar huid en haar vorm waren hem vertrouwd, maar tegelijkertijd waren ze nog onbekend terrein, volledig vreemd, alsof ze een briljant duplicaat van zichzelf had gemaakt toen hij even niet keek. Een dubbelgangster. Een wisselkind. Behalve dan dat déze vrouw het origineel was, dacht hij; zij was in de plaats van de kopie gekomen en niet andersom. Ze was een meesterwerk van subtiele schakeringen in combinatie met agressieve, verzadigde kleurvlekken. Absoluut geen kopie.

Door de muren klonk een soort gezoem, als van een machine, een lift; verder heerste er de stilte van een verlaten gebouw. De foyer was uitgestorven geweest. De kruk achter de balie was verlaten door degene die erop had gezeten. Geen spoor van de oude dronkelap en zijn vriendin. In de spiegel ontmoetten de ogen van de vrouw de zijne, voordat ze haar hoofd en haar lichaam verlegen van hem afwendde en haar badjas dichtknoopte.

'Ik heb het gevoel dat ik nog nooit met je samen ben geweest,' zei ze.

'Toen waren we andere mensen,' zei hij, en dat geloofde hij ook.

'Ja,' zei ze. 'Iedereen verandert.'

Ze bracht in het apparaat naast de gootsteen water aan de kook en zette voor hen beiden thee, waar ze voor de smaak kunstmatige melkpoeder bij deed. Ze gingen zij aan zij op het bed zitten en dronken uit de papieren bekertjes. Hun schouders raakten elkaar op de intieme manier van nieuwe minnaars.

'Ik ben bang om weer te beginnen,' zei ze.

Ze zag er niet bang uit. Ze leek in evenwicht en op alles voorbereid.

'Waar ben je bang voor?'

'Ik ben bang dat je denkt dat ik belachelijk ben,' zei ze. 'Of gestoord. Ik ken je nu beter. Jij kent mij beter. Dat maakt alles anders. Het is angstaanjagend hoe zwaar jouw mening voor mij telt.'

'Ja.'

Als hij naar haar keek, voelde hij zich duizelig worden, zo erg dat de kamer leek te trillen. Ik ken jou, wilde hij zeggen. Ik weet wat je hebt doorgemaakt, omdat ik net zo'n verlies heb doorgemaakt. Als de gebeurtenissen van die avond hem minder van zijn stuk hadden gebracht, had hij het haar zonder aarzeling verteld in de veronderstelling dat, als hij haar over zijn verlies zou vertellen, zij haar eigen verlies beter zou kunnen dragen. Maar nu hij door zijn vreemde verbintenis met deze vrouw zoveel van zichzelf en zijn gewoonten was kwijtgeraakt, begreep hij dat zulke gedeelde intimiteiten niet werkelijk waren wat zij van hem nodig had. Ze wilde zich uniek voelen in haar verdriet. Ze wilde het gevoel hebben dat het lot haar had uitverkoren om zo'n speciale last te dragen. Dus zei hij niets. Hij verdroeg zijn eigen herinnering voor één keer in stilte. Terwijl hij daar zat, opende zich in zijn geest een vredige leegte, waarin tot zijn grote verrassing het beeld van zijn vrouw vloeide, trots, stil, onberispelijk gekleed en opgemaakt, moeder van zijn kinderen, liefhebbende echtgenote. Hij bedacht dat zijn vrouw oppervlakkig noch leeg was, maar dat ze slechts onthouding beoefende, en hem toestond om alle ruimte in te nemen met zijn eigen treurigheden en noden. Hoe volkomen was ze gecapituleerd. Het beviel hem om op die manier aan zijn vrouw te denken. Hij had spijt van alles wat hij haar in de loop der jaren had aangedaan. Hij hoopte het ooit goed te maken. Hij wilde haar voorbeeld volgen. Hij wilde van nut zijn. De vrouw naast hem had hem nu nodig. Ze leek vrijwel niet in staat om zich te vermannen. Ze was nu ver van hem weg, verloren in haar eigen gedachten en angsten.

Na een ogenblik stilte begon de kamer weer te schudden, en hij besefte dat het echt was, een trilling in de grond, iets tastbaars en echts dat hen beiden en de hele wereld overkwam. Misschien niet voldoende om hen thee te laten morsen. Maar wel voldoende om de vloeistof in zijn beker te laten bewegen. Het schudden hield op en werd gevolgd door een hard geluid, een of ander luid signaal, misschien van een brandweerkazerne, maar dan luider en diffuser.

'Wat zou dat zijn?'

'Het einde van de beschaving,' zei hij.

'Dat is al geweest. Lang geleden.'

'Nou ja, niets om je zorgen over te maken.'

'We kunnen de televisie aanzetten.'

'Nee.'

'Om het te weten te komen, bedoel ik.'

'Iemand zal wel met een vliegtuig een energiecentrale zijn binnengevlogen.'

'Nucleair?'

'Huhhuh.'

'Je bent afschuwelijk.'

'Of anthrax,' zei hij. 'Vanuit de lucht. De vliegtuigen die we net hoorden.'

'Ricine,' zei ze. 'Pokken.'

'Dodelijke bijen.'

'Mannen met messen.'

'Geen messen. Geweren.'

'Geweren, ja,' zei ze. 'Schieten op straat. Zo schijnt het te beginnen. En daarna gaan mensen nog een hele tijd gewoon door, met theedrinken en neuken.'

Het woord dat ze gebruikte verraste hem. Het leek zo grof, geen woord voor haar.

'Dat is waar,' zei hij.

'Jij zult wel weten dat dat waar is,' zei ze. 'Door wat jou is overkomen. Waar je vandaan komt, bedoel ik. Zoiets moet het wel zijn geweest. De reden voor je vertrek en voor die nare herinneringen waar je het over had.'

'Maar kijk aan, je hebt gelijk, we zitten thee te drinken, precies wat je zei.'

'Ja.'

'En, wil je dat ik je nu neuk?'

Het woord kwam onbeholpen over zijn lippen. Hij voelde zich dwaas en onnodig melodramatisch.

'Nee,' zei ze. 'Ik wil dat je je ogen sluit.'

'Goed,' zei hij, of probeerde hij te zeggen, want zijn keel zat dichtgeknepen.

Dus knikte hij.

21

Ze keek hoe hij op het bed zat, met gesloten ogen, zijn adem hortend alsof hij vergeefs probeerde hem onder controle te krijgen. Ze begon voorzichtig en haalde de badjas van zijn schouders. Hij hield zijn ogen dicht. Zijn gehoorzaamheid beangstigde haar. Om te kalmeren deed ze alsof ze iemand anders was, alsof ze van een afstand zichzelf bekeek. Nu hij zijn ogen dicht had, was zij in de gelegenheid om hem voor het eerst echt goed te bekijken. Hij keek aldoor naar haar, waardoor zij steeds haar blik afwendde. Nu was het haar beurt om voyeur te zijn. Zijn gezicht was vlezig. Er lag een waas van zweet overheen, terwijl ze net onder de douche waren geweest. Zijn neusvleugels sperden zich open als hij ademhaalde. Zelfs nu was zijn gezicht nog een masker. Ze kon zich niet voorstellen wat er zich achter die gesloten oogleden afspeelde. De dikte van zijn hals en schouders ging over in een brede borst bedekt met spaarzame grijzende haren. Hij had op elke knie een hand gelegd, alsof hij zichzelf in evenwicht wilde houden en zijn emoties tot bedaren wilde brengen, maar zijn pik rees tussen zijn benen op alsof hij naar haar op zoek was. Zijn kwetsbaarheid ontroerde haar.

Hij opende zijn ogen.

'Niet doen,' zei ze. 'Ik heb gezegd dat je ze moest dichtdoen.'

Ze sloeg hem tegen zijn borst en hij sloot zijn ogen weer, maar hij glimlachte, wat haar tot woede dreef; ze haalde naar hem uit tot hij zijn ogen weer opende en haar polsen vastpakte.

'Hoor eens, je moet dit wel serieus aanpakken,' zei hij.

'Doe godverdomme je ogen dicht,' zei ze.

Hij sloot zijn ogen. Zij ging op zijn schoot zitten. Na een ogenblik nadenken duwde ze haar tong in zijn mond. Ze trok zich terug en keek naar hem. Hij had zijn ogen nog steeds dicht. Zijn mond stond open, met een slappe kaak. Hij bewoog niet. Ze kneep hard in zijn tepels. De mond ging dicht, de kaken werden opeengeklemd, maar hij opende zijn ogen niet noch deinsde hij terug of maakte hij een geluid.

Ze voelde een plotselinge duizeling waar ze van herstelde door op de binnenkant van haar wangen te bijten.

Ze liep de badkamer weer in en vond de lange broek die ze eerder aan had gehad op de grond, waar ze er voor de douche was uit gestapt, en ze raapte hem op. Ze haalde de sjaal los die ze er bij wijze van riem omheen had geknoopt, lang geleden, eerder die avond, voordat ze uitgingen. Ze keerde terug naar de slaapkamer en zag tot haar genoegen dat hij niet had bewogen, noch zijn ogen had geopend. Ze klom om hem heen op het bed en streek eerst met de sjaal over zijn gezicht zodat hij haar geur kon inademen en zou weten dat zij geen kwade bedoelingen had, en vervolgens bedekte zij zijn ogen ermee.

'Is het goed?' vroeg ze.

Hij knikte.

Ze knoopte de sjaal over zijn ogen vast.

'Ik houd van je,' zei ze.

Ze vond zijn riem en besloot die rond zijn enkels vast te maken. Daarmee waren alleen nog zijn handen over. Ze keek de kamer rond, in zijn tassen en in de hare, op zoek naar iets om ze mee vast te binden, tot ze uiteindelijk in de kast achter haar marineblauwe pakje dat ze die middag zo zorgvuldig had opgehangen een goedkoop hangertje van ijzerdraad vond. Ze pakte de hanger en staarde ernaar. Gewoon een goedkope hanger van ijzerdraad. En toch maakte dat doodgewone huishoudelijke voorwerp dat haar handen begonnen te trillen. Ze bleef ernaar staren, op zoek naar antwoorden. De ingeschapen wreedheid van gewone dingen, dacht ze. IJzerdraad. Een stuk touw. Een stanleymes.

Ze richtte haar aandacht weer op de kast en vond nog twee hangers, achteraan op de grond. Drie hangertjes in de kast die niet van die rare diefstalbestendige houten exemplaren zonder haak waren. Met moeite boog ze de hangertjes stuk voor stuk langzaam uit, en ze trok ze recht, terwijl het trillen van haar handen zich een weg zocht van haar vingers via haar armen en schouders, tot haar hele lichaam trilde. Haar tanden klapperden. De rest van haar lichaam was aan het fladderen alsof ze uit miljoenen stukjes bestond die elk afzonderlijk bewogen. Alsof ze uit trilharen bestond. Ze liep naar het bed terug met de lange draden in haar hand, ze keek hoe ze met elke stap deinden en zwaaiden, en ging naast hem op het bed zitten. Hij kwam haar wijs en onbevreesd voor. De blinddoek voor zijn ogen gaf haar het idee dat hij alles veel helderder kon zien.

'Heb je dit weleens vaker gedaan?' zei ze.

'Dit? Nee, nee.'
'Ik ook niet.'
Ze raakte zijn knie aan, een vraag, en hij knikte. Ze vatte zijn knikje op als een teken dat ze door mocht gaan, tot haar opluchting. Ze raakte zijn beide handen liefdevol met haar vingertoppen aan, en kuste zijn handpalmen voordat ze zijn handen naar zijn onderrug leidde. Even gedroegen de vingers zich als wezentjes met een eigen wil, ze vlogen weg van het materiaal dat ze vastbond. Ze streelde ze zoals je een kat zou strelen, om ze haar wil op te leggen, om ze tot bedaren te brengen. Ze kuste zijn rug. Stil maar, stil maar. De vingers ontspanden zich. Ze begon een van de ijzerdraden rond zijn pols te winden, vervuld van angst voor de diepte van haar vermogen tot wreedheid, nu ze toestemming had gekregen. Ze had allang het vermoeden dat ze tot waarachtige wreedheid in staat was. Dit was een man die ze nooit meer zou zien, nooit meer zou aanraken, wat maakte het dan uit als ze hem kwaad zou doen? Zo moet het zijn voor mensen die zelfmoord gaan plegen, dacht ze. De diepte van hun inzicht is groot. Ze beseffen dat ze nooit aansprakelijk zullen worden gesteld voor hun laatste daad. Ze beseffen dat ze buiten bereik zijn van elke veroordeling.

Het was lastig om het draad naar haar wens te buigen. Het zou geen mooi gezicht zijn als ze klaar was. De man slaakte een haperende zucht. Ze begon ijverig een ingewikkeld patroon van achten rond de polsen te draaien, af en toe grommend van de inspanning om het dikke ijzerdraad in een acceptabele vorm te krijgen, en met regelmatig een verfraaiing in de vorm van chaotische lussen en kronkels. Ze zorgde ervoor dat ze haar arbeid afrondde met de uiteinden van de ijzerdraden buiten bereik van zijn duimen. Ze gebruikte twee van de hangers voordat ze het gevoel had dat ze klaar was. Ze ging achteruit zitten en nam haar arbeid in ogenschouw. Haar vingers waren uitgeput van haar inspanningen. Ze had weliswaar nooit eerder de gelegenheid gehad om polsen vast te binden, maar in haar ogen zag het er heel fatsoenlijk uit.

'Kijk aan,' zei ze.

Ze zei het dichtbij, bijna hijgend, vrijwel in zijn oor. Hij ademde diep in, een uitdrukking van zijn opwinding. Het was zinloos om zichzelf te misleiden. Ze was ook opgewonden. Al klonk het nogal goedkoop om het opwinding te noemen. De kleuren van haar gevoelens reikten te ver voorbij het seksuele.

'Ik houd van je,' zei ze opnieuw.

Ze stond van het bed op en ging een eind van hem vandaan, bij de badkamerdeur, naar hem staan kijken. Aanvankelijk bewoog hij niet. Na een paar minuten begon hij zijn hoofd scheef te houden, alsof hij luisterde of hij haar kon horen. Goed, dacht ze. Alles is goed. Ze ging de badkamer in en sloot de deur.

Het hing er nog vol stoom van de douche. Hun kleren lagen waar ze ze hadden laten vallen. Ze pakte een gebruikte handdoek van de grond en veegde er de spiegel mee schoon; ze bekeek zichzelf, bestudeerde de lijn van haar kaak. In haar linkeroog was onlangs een tic verschenen die haar verontrustte. Ze keek in de spiegel naar het trillen van haar ooglid, alsof het een ander oog was, alsof een ander de tic had. Wie was die vrouw? Soms ving ze vlak voordat ze besefte dat het haar eigen weerspiegeling was een glimp van zichzelf op in een etalageruit. In die omstandigheden had de vrouw die haar eigen beeltenis was haar telkens weer verbijsterd, omdat de heftigheid van haar gebaren en gezichtsuitdrukkingen haar uitgesproken lelijk en vreemd maakten. Maar nu ze via de kunstgreep van het zelfbewustzijn naar haar gezicht keek, was alles vervormd en daarom dragelijk.

Ze liet haar badjas op de grond zakken en vroeg zich af of ze ooit eerder haar eigen lichaam zo volkomen had bewoond. Al werd de kamer nog steeds door de stoom verwarmd, ze voelde een kilte. Ze trok langzaam de rits van zijn scheeretui open en haalde er de bus met scheerschuim uit. Het scheermes lag nog op de rand van de wastafel, waar hij het had achtergelaten. Precies zoals ze altijd deed, ging ze op het toilet zitten en begon ze haar linkerbeen onder de knie glad te scheren. Daarna het rechterbeen. Vervolgens haar dijen. Ze hield op. Hadden de terroristen hun schaamstreek ook geschoren? Daar had ze niets over gehoord. Alleen de vage verwijzing naar het feit dat ze voor hun zelfmoordaanslagen hun hele lichaam schoren als onderdeel van hun rituele reiniging. Ze keek hoe het scheermes zich een weg baande door het scheerschuim dat ze over de binnenkant van haar dijen had uitgestreken. Toen begon ze, met een gebaar dat ze zelfs in haar opgewonden staat nog als dwangmatig herkende, haar kruis met langzame, weloverwogen zorg te scheren, plekje voor plekje, voorzichtig, tot ook dat volkomen naakt was. Ze keek naar de kaalheid tussen haar benen en had het gevoel dat ze naar het lichaam van iemand anders keek. Toen ze er genoeg van had om op die manier naar zichzelf te kijken, reikte ze naar binnen en trok ze haar pessarium tevoorschijn. Tot haar doffe verbazing volgde er een golf menstruatiebloed. Opnieuw verstreek de tijd. Ze had alle tijd, en tijd genoeg. Na een poos richtte ze haar aandacht op haar buikstreek, overdekte hem met scheerschuim om vervolgens het scheermes in lange, weloverwogen banen over haar middel van haar kruis naar haar ribben te trekken, tot ze zich volkomen van het schuim had ontdaan. Daarna bedekte ze haar borsten en décolleté en hals met het spul, raapte al haar kracht bijeen, en maakte het karwei af met het afscheren van de donshaartjes op haar hals en armen. Toen wendde ze zich naar de kraan in de douche en stapte eronder om achtergebleven haartjes en scheerschuim die nog aan haar huid kleefden af te spoelen. Het warme water vloeide ongehinderd over haar lichaam. Ze verbaasde zich erover hoe anders het water aanvoelde dan eerst, zoals het glibberig en metaalachtig over een huid gleed die nog nooit zo onbedekt was geweest. De pijn binnenin verergerde en verspreidde zich over haar hele lichaam tot elk onderdeel van haar dezelfde bonzende pijn voelde. Toen draaide ze de kraan dicht, stapte eruit, en droogde zich af.

22

Toen ze net de blinddoek over zijn ogen legde, voelde hij een ruwe vreugde, sterkte, macht zelfs, omdat hij zich zo volkomen aan haar wensen overgaf. Haar verzoeken hadden nog iets luchtigs en kokets, maar hij wist wel beter. Zelfs zo snel al wist hij wel beter. Een deel van hem voelde zich verontrust, verbijsterd en volledig overvallen door de passieve manier waarop hij haar verlangen om te domineren accepteerde. Hij vroeg zich af of al zijn beslissingen werden aangedreven door dit gevecht tussen de wil om zich te verzetten en de wil om zich over te geven; een neiging die hij nu in zijn meest extreme vorm ervoer. Hij bewoonde een lichaam dat wist wat het opgaf, wat het was om op deze manier vastgebonden te zijn, door een vrouw die haar bedoelingen nooit helemaal duidelijk had gemaakt. En toch. Hoe reusachtig werd zijn erectie wel niet bij het idee om op deze manier te worden vernederd, om haar toe te staan haar verdriet op hem uit te leven. Toen ze knielde en zijn voeten samenbond met iets waarvan hij wist dat het zijn eigen riem was, voelde hij zich stijf worden, wie had dat kunnen denken? Hij kon het niet met eigen ogen zien, en hij kon hem niet aanraken nu ze zijn handen naar zijn rug had geduwd en voortging hem stevig in te binden, maar hij voelde hoe zijn pik buiten alle proporties groeide, buiten alle proporties van hemzelf en zijn lichaam, tot er van de rest van dat lichaam niets over was dan een hoopje afgestroopte huid, omdat alle bloed naar zijn orgaan was gestroomd. Natuurlijk had hij weleens over dit soort dingen gehoord. Hij had schaamteloze, onuitwisbare afbeeldingen gezien van vastgebonden en geknevelde vrouwen; had de pornografie gezien waar zijn vrienden op school mee te koop hadden gelopen; wat hadden ze om zijn verwarring gegrinnikt. De erecties van toen hadden hem met schaamte vervuld. Maar hoe schaamteloos en geweldig was het, nu hij het gevoel had dat hij met heel zijn lichaam dit tafereel in was gesleurd, dat hij geen voyeur meer was, maar het onderwerp. Hoe prachtig. Hoe volmaakt intiem.

En toen liet ze hem alleen.

In de staat van intense opwinding waarin hij verkeerde, was het hem niet duidelijk of hij hoorde dat ze echt wegging of alleen de badkamerdeur opende en weer achter zich sloot. In elk geval had hij zijn erectie om hem gezelschap te houden. Hij had de indruk dat hij nog nooit zo blij met dat gezelschap was geweest, zelfs niet toen hij jong was. Zijn orgaan zong. Alles wat hij moest doen om hem staalhard te houden, was eraan denken dat ze terugkwam en zich zo wijd mogelijk voor hem zou spreiden om hem toegang te verlenen. Bij het geringste teken van verslapping dacht hij weer aan haar, en dan was alles weer goed. Tijd verstreek. Hij hoefde alleen aan haar terugkeer te denken. Na verloop van tijd realiseerde hij zich dat ze al lang weg was, en toen hij weer aan haar terugkeer probeerde te denken, kon hij de gedachte niet tegenhouden dat ze misschien niet gauw terugkwam. Zijn erectie stortte in. Hij maakte even een fase van hevige irritatie door voordat hij bezorgd werd, en toen bang. Stel dat ze niet terugkwam. Als ze hem daar nu eens had achtergelaten opdat hij de volgende ochtend door een ongeletterd, hardwerkend en godvrezend kamermeisje zou worden aangetroffen, zonder portefeuille, zonder legitimatiebewijs, een ongewenste vreemdeling die ze moesten terugsturen naar waar hij vandaan kwam, ja, hij wist zeker dat dat vanaf het begin haar bedoeling was geweest, om hem op een veel minder exotische manier te vernederen dan hij aanvankelijk had gehoopt. Misschien had ze een heel plan uitgedacht. Misschien had ze een minnaar die Cesar heette. Hij had zich inmiddels door wanhoop overmand achterover op het bed laten vallen, had zich als een grote worm naar boven geduwd tot hij over de hele lengte van het bed lag, op zijn zij, want op zijn rug zou hij op zijn handen liggen die toch al gevoelloos waren en geschaafd werden op de plekken waar het ijzerdraad te strak zat. Was er geen manier om zijn handen te bevrijden? Hij probeerde het en faalde. Erger nog, de onderkant van zijn handpalmen was onaangenaam plakkerig geworden. Hij werd volkomen in beslag genomen door een onverbiddelijk verlangen om zijn handen te bevrijden, opdat hij zijn eigen lichaam kon bevoelen en zichzelf ervan kon overtuigen dat het het zijne was, en onaangetast. Zonder het vermogen om zichzelf te zien of zijn handen over zijn huid te laten glijden, raakte hij geobsedeerd door de gedachte dat hij aan zijn uiteinden al aan het oplossen was, dat hij er al niet helemaal meer was. Net als andere mannen had hij vaak met het idee van totale overgave aan een ander gespeeld. Hij vond het in werkelijkheid ondraaglijk: goed, in het begin ondraaglijk euforisch, maar nu ondraaglijk wanhopig. Ze had tenminste wel nagelaten om hem te knevelen. Hij zou zo nodig kunnen gaan roepen. Toen herinnerde hij zich de lange, stille wandeling van de kamer naar de foyer, de gangen zonder enig teken van leven, en hij verloor de hoop dat hij ooit zou worden gevonden. Gelukkig schoot hem te binnen dat zijn mobiel op het tafeltje naast het bed lag. Als hij nu maar zeker wist dat die nog aanstond. Hij had gehoord dat de politie aan de hand van het activeren van een mobiel iemands locatie kon vaststellen. Zelfs met gebonden handen was het vast mogelijk om zich, als al het andere mislukte, erheen te worstelen en een manier te vinden om hem te activeren, misschien zelfs wel een nummer van het snelmenu in te toetsen, voor het geval zijn opsporingstheorie niet klopte. Hij dacht aan de nummers die hij in zijn mobiel had geprogrammeerd, en hij glimlachte bij het idee dat hij een daarvan zou intoetsen, zoals hij hier nu in de knel zat. Zijn vrouw. Zijn baas. Wat hij dan allemaal niet zou moeten uitleggen. Een lach bevrijdde hem uit zijn angst en liet uiteindelijk slechts leegte en vermoeidheid achter, en de gevoelloosheid in zijn handen. En toen verveling.

Hij viel in slaap en zweefde naar de rand van zulke heftige, erotische dromen dat ze hem naar een toestand van waken terugduwden. Hij voelde hoe zijn tepels over gesteven lakens schuurden en de zeurende pijn rond zijn polsen, voordat de dromen hem weer in slaap lieten vallen. Ze kregen de levendigheid van visioenen, scherp en angstaanjagend, wezenlijker dan een illusie, en hij wist niet langer wat waarheid was en wat een nachtelijke angstdroom. Hij droomde dat hij zijn moeder door het wazige plastic van een douchegordijn zat te bespieden terwijl zij zich inzeepte, zoals elke kleine jongen zijn moeder weleens bespiedt, hoe haar bewegingen een borst onthulden, een bil, voordat ze door een golf stoom aan het gezicht werd onttrokken. Terwijl hij door de stoom stond te turen om nog een glimp van haar op te vangen, drong het tot hem door dat ze niet alleen was onder de douche, nee, er was een bantammer haan bij haar, zijn kleine orgaan geheven en als een vingertje op haar gericht, terwijl de vogel kraaide en zong en met zijn sterke vleugels klapperde waardoor het water alle kanten op spatte. Het merkwaardige beeld van een vogel in een douchehok duwde hem terug naar de grens van ontwaken. Wat betekende dit? Had hij zijn moeder echt weleens onder de douche gezien? Voordat hij zichzelf kon antwoorden zakte hij terug in een diepere sluimering, in een droom waarin hij zich op een vliegveld bevond en toekeek hoe de weduwe met een haan onder haar arm van hem wegliep. Hij riep haar na. Zij draaide zich niet om, maar de haan wel, die hem met zijn stomme vogeloogjes aanstaarde, met een nek die zich grotesk uitrekte voordat hij weer in het verenpak verdween en vervolgens weer werd uitgerekt; zijn lel hing nutteloos te klapperen. Deze droom ging over in een andere, die hem uiteindelijk wegvaagde, en ineens lag hij naakt op de grond in een kippenhok met duizenden vogels die naar hem stonden te pikken. Hier heb ik weleens wat over gehoord, dacht zijn gedroomde ik. Ik heb weleens gehoord dat dieren soms hun eigen soort opeten, zelfs dieren van een veel hogere orde dan deze beesten. De pijn nam toe tot hij opnieuw naar de rand van het ontwaken werd getild, en daarna werd hij helemaal wakker. Na een moment van duizelige desoriëntatie dwong hij zijn sensaties te worden wat ze werkelijk waren: zij sloeg hem op zijn billen met iets wat aan het eind van elke klap een kleine maar onmiskenbare beet gaf.

23

Toen ze uit de badkamer de slaapkamer instapte, was ze even bang. Het leek of de kamer meer naar één kant helde dan ze zich herinnerde, alsof ze weg zou kunnen glijden als ze haar voeten niet voorzichtig zou neerzetten. Er kwam een beetje licht van een lamp naast het bed. De hoeken van de kamer waren in schaduwen gehuld. Hij lag op het deel van het bed dat het verst van de badkamer vandaan was met zijn rug naar haar toe te slapen, zijn ademhaling zacht en schurend. Een vreemde affectie welde in haar op toen ze naar hem stond te kijken. Hij deed haar aan zichzelf denken, zoals ze die middag nog was geweest, toen ze naakt had liggen wachten tot hij weer in de kamer terugkwam om haar te schenden. Zijn houding was haar zo vertrouwd dat ze die als een herinnering aan haar eigen lichaam waarnam, dat ze de druk van de matras tegen haar schouder en heup voelde alsof zij het was die daar lag. Het was niet wat ze had verwacht te voelen, dat het zou zijn alsof zij daar op het bed lag. Wie was dan degene die daar stond? Het leek alsof ze omwille van dit jubileum de behoefte voelde om elk lichaam te bewonen, om elke deelnemer te begrijpen. Zichzelf. Haar echtgenoot. De moordenaars van haar echtgenoot. Wie was de persoon op het bed? Het instrument van haar vernietiging, van haar verlossing. Welk onderscheid zou er uiteindelijk tussen die twee worden gemaakt? Welk onderscheid tussen lijden en extase, beschaving en barbaarsheid, wreedheid en tederheid? Hij was nu alles voor haar. Hoe volmaakt had deze man haar proberen te plezieren. Hij kon meer doen. Ze stelde zich voor dat hij de laatste woorden die haar man ooit had gesproken tegen haar zei. Ze voelde zich een ogenblik zwak worden bij de herinnering aan het telefoontje van haar man. Ze had niet geweten wat ze tegen hem moest zeggen, had het niet geloofd, het leek allemaal niets met haar leven te maken te hebben; ze keek slechts naar de tegenslag van een ander. Pas later ontroerden de woorden van haar man haar. En daarna hadden ze haar nooit meer met rust gelaten.

Ze ging aan het voeteneind staan en nam de ronding van zijn billen in zich op. Vanuit deze hoek zagen ze er vrouwelijk uit. Maar misschien kwam het door de manier waarop hij lag vastgebonden, aan handen en voeten; doordat zijn handen op zijn rug zaten vastgebonden werden zijn heupen naar voren en omhoog geduwd. Hij zag er in haar ogen allerliefst uit. Nadat ze een tijdje op deze manier naar hem had gekeken, besefte ze dat hij droomde: ze hoorde hem zacht kreunen. Hij moest nu wakker zijn. Plotseling beving haar het verlangen om hem te wekken. Ze vond de derde hanger aan het voeteneind van het bed waar ze hem, uitgebogen tot een lange stok, had laten liggen. Ze raapte hem op en begon er zacht mee op zijn billen te tikken. Toen harder. De billen verschoven en zijn ademhaling veranderde abrupt, en ze wist dat hij wakker was. Ze hield op en knielde over hem heen, kuste zijn slaap en liet haar hand langs zijn keel gaan.

'Je bent teruggekomen,' zei hij.
'Natuurlijk.'
Het kwam in haar op dat ze hem haar naaktheid wilde laten voelen. Ze hurkte schrijlings over hem heen zodat hij haar net met de vingertoppen van zijn vastgebonden handen kon aanraken. Ze keek hoe zijn vingers haar bevoelden. Hij ademde abrupt in en verkende haar nieuwe landschap met rusteloos gegraai, tot zij zich terugtrok en op de rand van het bed naast hem kwam zitten, met haar benen over elkaar. Ze raakte afwezig haar naaktheid aan en bedacht wat ze nu zou doen. Zijn heupen kwamen omhoog op zoek naar haar, waar ze van schrok. Ze trok zich verder van hem terug en herschikte zichzelf tot ze opnieuw, ver buiten zijn bereik, met haar benen over elkaar op het bed zat, en probeerde een besluit te nemen. Ze was zich bewust van de verstrijkende tijd, kansen die verloren gingen, momenten die elkaar opvolgden; niettemin was ze niet in staat om een voorwaartse beweging te maken die haar inertie zou verjagen. Ze was verslagen door een gebrek aan wil om datgene waaraan ze was begonnen voort te zetten. Ze was zich ten volle bewust van haar gebrek aan ervaring in dit soort aangelegenheden. Zo had ze door de manier waarop ze hem met zijn handen op zijn rug had vastgebonden haar eigen opties beperkt. Nu kon ze hem niet omrollen en schrijlings op hem gaan zitten zonder hem te dwingen op zijn handen te liggen, wat haar zelfs in haar stemming van dat moment al te wreed voorkwam; ze voelde zich zwak worden bij de gedachte dat het ijzerdraad in zijn rug sneed en een nier of een ander vitaal orgaan vond. Het was belachelijk om zijn handen los te maken, zeker na

de moeite die het had gekost om ze te bedraden. De uitgestrekte vlezige vlakte van zijn romp rees en daalde nog steeds, overdekt met een mosachtige laag donkere haren.

'Wat ga je met me doen?' vroeg hij.

'Hou je mond,' zei zij.

Ze schrok van de stem, haar stem, maar veel lager en schorder dan ze zich herinnerde. Ze was geïrriteerd, woedend, ze wist zeker dat hij haar gedachtegang had onderbroken op een moment dat ze op het punt stond een geweldige waarheid te ontdekken. Over hem. Over haar. Allemaal reddeloos verloren.

Niet wetend wat ze nu verder met zichzelf aan moest, pakte ze haar ijzerdraad weer op en begon hem op zijn flanken te tikken, niet hard, niet te hard, maar hard genoeg om met elke tik een druppel bloed tevoorschijn te halen. Hij bewoog onrustig heen en weer over het bed, maar zei niets, vroeg niet om op te houden. Het drong tot haar door dat zijn bewegingen een innig, geheimzinnig effect op haar ademhaling hadden; alleen al door het feit dat zij hem in reactie op haar tikken heen en weer zag bewegen was de cadans van haar ademhaling veranderd. Ze voelde het bloed door haar aderen bonzen, met een snelheid die met elke aanraking van het metaal, elke druppel bloed toenam. En toch was er een zekere formeelheid over haar gekomen. Ze had het gevoel dat ze een soort ritueel duet met deze man uitvoerde dat op zijn eigen manier even vormelijk was als een hofmenuet. Ze keek toe hoe de bloeddruppels een voor een verspreid over zijn billen verschenen. En toch leek de man er niet bijzonder op uit om de tikken van het ijzerdraad te ontwijken. Als hij enig teken van protest had gegeven, was ze aangeslagen en vol wroeging opgehouden. Bij het geringste protest van zijn kant zou ze door schaamte en weerzin jegens zichzelf zijn overmand. Ze zou hem onmiddellijk hebben losgemaakt en om vergeving hebben gesmeekt. Hij zat voorovergebogen op zijn knieën, zijn gezicht van haar afgewend op het bed, zijn heupen opgeheven. Waarom zei hij niet dat ze moest ophouden? Ze sloeg haar arm om hem heen om hem te betasten en merkte dat zijn pik gezwollen was. Geschrokken trok ze haar hand terug. Haar onzekerheid groeide, opgeroepen door zijn onverhulde begeerte. Ze keek hoe zijn heupen rezen en daalden en wenste vurig dat er iets hards uit haar eigen lichaam oprees zodat ze dat in hem kon stoten. Ze sloeg haar arm om hem heen en vond opnieuw zijn erectie, en ze verafschuwde die. Ze kneep hem, hard genoeg om hem pijn te doen.

Ze legde het ijzerdraad weg en knielde achter hem neer, schrijlings over zijn schenen, en legde haar beide handpalmen op zijn billen. Ze dacht aan de heupen van een vrouw. Ze raakte zijn poepgat licht met een vingertop aan, geschokt door haar eigen vrijpostigheid. Toen haar vinger hem beroerde, stokte zijn ademhaling. Ze deed het nog eens en merkte dat het hetzelfde resultaat had. Ze begreep het niet, dat het haar zo opwond, noch hoe het mogelijk was dat ze nooit tevoren had geweten dat het haar zo zou opwinden om een man op die manier aan te raken. Zelfs zijn stank wond haar op, omdat het feit dat hij zich op die manier voor haar opende haar voorkwam als het intiemste dat ze ooit had ervaren. Ze greep opnieuw zijn pik vast, en duwde een vinger bij hem naar binnen, en toen twee. Zijn erectie verslapte en hij schreeuwde het uit, kut, fuck, klote, gevolgd door wat keelklanken. Hij had pijn, en toch leek hij zich ook nu nog voor haar te openen, alsof ze echt een pik had, alsof ze hem echt op ditzelfde moment met haar eigen pik aan het neuken was, en dat hij het lekker vond.

'Wil je me nog steeds begrijpen?' vroeg ze.

'Ja.'

'Zeg dat je dit lekker vindt,' zei ze.

'Ja.'

'Je moet zeggen: "Ik vind dit lekker."'

'Ik vind dit lekker.'

'Zeg dat ik niet moet ophouden.'

'Niet ophouden.'

'Wat voel je?'

Stilte.

'Alsof ik een vrouw ben,' zei hij.

'Kut,' zei ze. 'Kutwijf.'

Zijn kontgat was nu glibberig en open. Dit is wat mannen denken als ze met ons vrijen, dacht ze. Wat ik nu voel. Dat ze haar pijn willen doen, haar willen binnendringen, aan stukken scheuren. Mijn geliefde is hier alleen om dat toe te staan. Dat is wat deze man over mij dacht toen hij klaarkwam. Dat is wat mijn man dacht als hij klaarkwam. Willen binnendringen. En moet je nou zien hoe hij erom smeekt. Ze was zo verbijsterd dat ze hem zo diep mogelijk neukte en niet eens merkte dat ze ook zichzelf beroerde, tot ze klaarkwam.

24

Hij voelde hoe ze van hem afgleed. Zijn anus brandde. Zijn schouders waren uit hun normale stand gewrongen, zijn polsen gierden van een heel eigen scherpe pijn. Hij veronderstelde dat zijn polsen overdekt waren met opgezette striemen die door het ijzerdraad waren open geschuurd. Hij voelde zich rauw en dierlijk. Hij was bang om te praten. Zijn erectie was krachtiger teruggekeerd. Waar kon die vandaan komen? Zijn penis leek los te staan van de rest van zijn lichaam en zijn bedoelingen. Een ogenblik was alles stil. Lang genoeg om hem ongerust te stemmen, om een flits van angst, lust en duizelingwekkende passie door zich heen te voelen varen die hem hulpeloos en behoeftig achterliet.

'Wie ben je?' vroeg ze.

Hij herkende de stem niet. Hij probeerde door het gaas van haar sjaal te kijken; het licht van het bedlampje scheen er als een rode zon doorheen.

'Wie ben je?' vroeg ze opnieuw, en ze sloeg hem in het gezicht, sloeg hem opnieuw toen hij niets zei, en na de derde klap dacht hij dat hij begreep wat ze wilde, en ook dat hij zichzelf begreep.

'Ik ben een moslim,' zei hij.

Hij hoorde haar zuchten.

'Wil je doorgaan?' vroeg ze.

Hij was in verwarring. Had hij een keuze? Hij had het

gevoel van niet. De illusie dat er iets te kiezen viel, was weggerukt, zodat hij ook niet langer kon doen alsof. Hij wachtte tot zij medelijden met zijn ellende en hulpeloosheid zou krijgen. Hij wachtte tot zij hem zou vrijlaten. Hij dacht aan haar droevige gezicht vol mededogen, aan haar dodelijke bleekheid die hem zelfs nu dierbaar was, en hoe ze hem van zijn boeien zou bevrijden en met haar tranen zou wassen. Misschien knikte hij wel.

Er gebeurde niets.

Plotseling zat ze weer boven op hem, haar adem in zijn oor. Iets kouds en langs en metaligs zocht zijn weg om zijn hals: het ijzerdraad. Hij hoorde verstikte keelgeluiden, die van hemzelf. Toen viel de draad weg en kon hij weer ademhalen. Ze trok zijn hoofd aan zijn haren naar achteren en legde opnieuw zijn hals bloot. Hij voelde vlak bij zijn linkeroor een steek van iets scherps, ze had zijn huid opengeprikt. Dof drong eindelijk het inzicht tot hem door dat hij haar nooit had gekend; hij voelde hoe hij wegvloog totdat het enige wat restte een beest was zonder enig vermogen om zich de toekomst voor te stellen.

'Zeg tegen hen dat ze ons moeten vrezen,' fluisterde ze.

De woorden rinkelden in zijn hoofd, hun ritme was hem vertrouwd. Van een videoband waarop de laatste ogenblikken van haar man waren vastgelegd. Hij had hem keer op keer gezien, op het avondnieuws, het ochtendnieuws, op internet, drie weken was er niet aan te ontkomen geweest, en zelfs daarna werd hij nog nu en dan vertoond bij herdenkingen en in televisiedocumentaires. Hij had er niet aan kunnen ontkomen om vertrouwd te raken met de stem van de geblinddoekte man, de echtgenoot, de man met zijn op zijn rug gebonden handen, die op dat grofkorrelige stukje film zijn laatste woorden tot zijn vrouw sprak. Even vertrouwd als hij nu met haar stem was. Hij merkte dat zijn tanden klapperden, een trilling in zijn onderkaak die hij niet kon tegenhouden. Hadden alle bange mannen het zo koud? Hij vergat er verder over na te denken want ze wurgde hem opnieuw; daarna nam ze de druk op zijn keel weer weg. Zijn erectie bleef. Zijn lichaam trilde heftig. Hij beefde: angst en lust tegelijk. Hetzelfde. We balanceren op de rand, dacht hij. Zo'n moment is er vlak voordat je de eed aflegt. Vlak voordat je sterft. Je hebt je verbonden, maar het is nog niet in beweging gezet. Nu begreep hij het.

'Je hebt geen idee wat een bevrijding dit is,' zei ze. 'Om jezelf te kennen. Dat onherroepelijke moment wanneer je al het andere verliest.'

Ze gromde en draaide zich van hem weg. Toen was ze terug en joeg hem nu pas echt angst aan, zoals ze zijn hoofd omhoogtrok. 'Nee,' zei hij. 'Alsjeblieft.' Ze liet niet merken dat ze hem had gehoord. Hij veranderde van tactiek. 'Krijg de klere, trut,' zei hij. Opnieuw liet ze niets merken. Nu duwde ze zijn hoofd alle kanten op, ruw maar zonder kwaadaardigheid, alsof zijn hoofd iets levenloos was dat van haar was. Ze duwde de telefoon tegen zijn hoofd. Hij hoorde hem overgaan. Hij ging nog twee keer over, toen luisterde hij naar de stem van zijn vrouw op hun antwoordapparaat. Haar beeltenis drong door zijn angst, door zijn geblinddoekte ogen tot hem door, en haar geur en haar stemmingen voerden hem weg, tot hij alle schakeringen voelde van de spijt en de schaamte die hij zo zorgvuldig voor zichzelf had proberen te verbergen, om bij deze vrouw te kunnen zijn.

'Het spijt me,' fluisterde ze bij zijn oor.

'Spreek na de piep een boodschap in,' zei zijn vrouw.

'Zeg: Schat,' beval ze, nu met luidere stem.

Nog een prik in zijn keel toen hij te traag met een antwoord kwam.

'Schat,' zei hij.

'Zeg: Liefste, liefje,' zei ze.

'Liefste, liefje.'

'Zeg: Ik weet niet wanneer we elkaar weer zien.'

Hij zei haar in de hoorn precies na. Zijn vrouw. Zijn saaie vrouw. Allemaal verloren. Ze zou hem op meer dan één manier kwijtraken. Nog een geluk dat ze tenminste niet had opgenomen. Gelukkig. Ze sliep te vast. Te zeer gewend aan vreemde telefoontjes laat op de avond van mensen aan de andere kant van de wereld die hen niet vergeten waren, maar die zij liever wilden vergeten.

'Zeg: Ik hou van je.'

'Ik hou van je.'

'Zeg: Wat er ook gebeurt, vergeet dat nooit.'

'Wat er ook gebeurt, vergeet dat nooit.'

'Goed zo.'

Hij hoorde de telefoon op het nachtkastje vallen. Hij begon vrijwel meteen weer te rinkelen, een metalig geluid dat hij van veraf hoorde klinken. Het rinkelen hield op. Toen zat ze weer boven op hem, drukte hem plat tegen het bed, het ijzerdraad om zijn polsen drukte in zijn rug, maar wat hij vooral voelde was het scherpe ding tegen zijn keel, alsof dat het enige punt was waar hij nog met de buitenwereld was verbonden. En hij dacht: het zij zo. Zijn mond vulde zich met de smaak van oude munten. Ik houd mijn ogen open, ook al zitten ze achter deze blinddoek, dacht hij. Ik zal moslim zijn. Hij wachtte. Door de inspanning van haar ademhaling rezen en daalden haar borsten tegen zijn rug. De druk op zijn keel nam toe en hij wist dat zijn einde was gekomen. En toen, als door een wonder, voelde hij hoe de vrouw het opgaf, voelde hij het wonder van haar besluit om hem geen pijn te doen. Nu stond ze hem ergens verderaf te vervloeken, niet meer vlak bij hem. Ze huilde en striemde hem op zijn rug met scherpe, stekende slagen die hij nauwelijks meer voelde omdat hij ten diepste begreep dat de crisis was geweken en dat hij gespaard was gebleven.

Ten slotte hield ze op met slaan. Hij hoorde haar met diepe, bevende zuchten ademhalen.

'Nu begrijp je me,' zei ze dof, naast zijn oor. 'Nu zijn we samen.'

Hij voelde haar zuchten.

Hij haatte haar.

Opnieuw verraste ze hem, door zijn boeien los te maken, te beginnen bij zijn voeten, daarna zijn handen en ten slotte de blinddoek voor zijn ogen. Ze keek hem onzeker aan, alsof ze iemand anders had verwacht; en toen hij eenvoudig bleef liggen, niet in staat om haar naar de keel te vliegen zoals hij had gewild, of zelfs maar te kijken hoe zij naar hem keek, kuste ze verontschuldigend zijn borst, toen zijn buik, en nam ze ten slotte met zo'n tederheid zijn pik in haar mond dat hij zich even machteloos en vernederd voelde als voordat ze hem had bevrijd. Zijn polsen waren door zijn boeien zo gestriemd geraakt dat ze geen deel meer van hemzelf leken; ze waren uitsluitend pols geworden, bonzende, pijnlijke pols. En toch lag zijn wil om zich te verzetten aan scherven. Hij was zich bewust van haar zachte, een beetje vochtige haar dat hem beroerde terwijl haar lippen en mond hem omvatten. Ze bewoog zacht. Hij voelde zich op een vreemde manier bemind. Tot zijn verrassing liet ze hem klaarkomen, en terwijl dat gebeurde, voelde hij een samenvloeisel van identiteiten in zich opkomen, waarin hij tegelijkertijd vrouw, man, slachtoffer, agressor, moslim, jood, echtgenoot en echtgenote was, en zijn hoofd vulde zich met een oogverblindend licht, voordat ze kokhalzend en huilend van hem af rolde en hij weer alleen was.

Daarna was er lange tijd op de hele wereld niets anders dan het geluid van hun beider kloppend hart.

Toen drong zich langzaam een gedachte op. Hij dacht weer aan zijn vrouw. Het zou zoals altijd ochtend worden, zij zou ontwaken en zijn stem op het bandje horen, ze zou de andere vrouw die bij hem was horen, en er zouden tranen zijn, en consequenties.

Ze lag los van hem, aan de andere kant van het bed, met haar gezicht van hem af en ineengedoken, haar knieën tegen haar borst, zodat de lange curve van haar ruggengraat het enige was wat hij van haar kon zien.

25

Ze werd wakker van de stem van haar man, al was ze nog niet helemaal ontwaakt. Even dacht ze dat hij naast hun bed stond en liefdevol tegen haar sprak, dat hij eerder was teruggekeerd van zijn reis. Of eigenlijk dat hij in de keuken met een van hun dochters in gesprek was. Of dat hij ergens in huis aan de telefoon was, een snel telefoontje naar een collega voordat hij in bed stapte en haar in zijn armen nam.

Toen hij niet verscheen, stond ze op om hem te zoeken. Ze zocht in het donker haar peignoir op en trok hem aan, stiefelde toen blootsvoets door het stille huis, langs de trage, regelmatige ademhaling van haar slapende dochters, naar het antwoordapparaat in de keuken, waar ze het lichtje zag knipperen, en ze besefte dat hij helemaal niet thuis was, dat hij alleen van ver weg had gebeld. Drie uur 's nachts, dacht ze. Ook wat moois, dat hij me om drie uur in de nacht belt. Maar al terwijl ze hem nog uitschold, vergaf ze hem. Hield ze meer van hem als hij er niet was? Dat was mogelijk. Als hij niet bij haar was, voelde ze zich minder Perzisch. Minder zichzelf. Hij hielp haar onthouden wie ze was. Alleen al daarom hield ze van hem. Ze drukte het knopje in.

'Schat,' hoorde ze hem zeggen. 'Liefste, liefje. Ik weet niet wanneer we elkaar weer zien. Ik hou van je. Wat er ook gebeurt, vergeet dat nooit.'

Verward, en omdat ze het niet goed had verstaan, luisterde ze de boodschap nogmaals af. De woorden waren dezelfde. Het was de stem van haar man. Wat betekende het? Ze kon er geen touw aan vastknopen. Ze kon hem niet volgen. Hij zei dat hij van haar hield. Maar hij wist niet wanneer ze elkaar weer zouden zien. Het klonk afschuwelijk definitief. Ze speelde de boodschap nogmaals af. Zijn stem klonk gespannen. Schor. Zoiets. Er klonk een soort angst in door.

Ze speelde de boodschap een vierde keer af. Toen hij was afgelopen merkte ze dat ze in een vreemde houding stond, over de gootsteen gebogen met haar handen om de rand geklemd. Om de een of andere reden stond ze naar een vochtige theedoek te staren die ze een paar uur daarvoor over de kraan te drogen had gehangen. Mijn man zit in moeilijkheden, dacht ze. Dit is een noodsituatie. Zo voelt het als er een noodsituatie is. Ik moet kalm blijven.

Ze haastte zich naar de slaapkamer waar haar dochters vredig lagen te slapen. Ze deed het raam in hun kamer dicht, dat veel te wijd open had gestaan. Ze sloot de deur van de slaapkamer achter zich en rende terug naar de keuken, waar ze de boodschap nog eens afspeelde. Ditmaal begon ze toen hij was afgelopen te niezen, toen te hoesten. Ze boog voorover met haar handen voor haar gezicht. Ze merkte dat haar handen haar gezicht streelden. Het was bijna alsof het de handen van iemand anders waren. Iemand die kalm was. Iemand die wist wat er gedaan moest worden. Het hoesten hield op. De handen bedekten teder en zacht haar gezicht. Ze sloot haar ogen. Ze hield haar adem in. De plek achter haar oogleden was aardedonker. Ze haalde haar handen weg, opende haar ogen en begon weer te ademen. Ze probeerde zich te herinneren wat hij over zijn reis had gezegd. Waar was hij? In Boston? Washington? Was hij de week daarvoor niet in Washington geweest? Dan moest het Boston zijn. Ze kon de politie daar bellen. Maar de details van zijn reis stonden haar maar vaag voor de geest. Eerlijk gezegd kon ze zich de stad niet meer herinneren. Zijn secretaresse zou het wel weten. Maar om haar nu, om drie uur 's nachts te bellen, was de crisis daar wel groot genoeg voor? Wist ze dat zeker? Ze wist niet wat ze moest doen. Natuurlijk. Ze kon haar man terugbellen op zijn mobiel. Die gedachte kwam als een vloedgolf over haar heen. Ja, ze zou hem terugbellen om te horen of alles in orde was. Ze nam de telefoon op en belde zijn nummer. De telefoon ging drie, vier keer over en ze voelde hoe er een ondraaglijke spanning in haar groeide, ze probeerde iets voor de komende seconden te bedenken, wat ze zou zeggen, wat voor boodschap ze weer voor hem zou achterlaten, en ze hing snel op. Misschien kon hij niet opnemen. Als hij in moeilijkheden zat en op de een of andere manier niet in staat was de telefoon op te nemen, was het dan niet beter als die niet overging? Als hij in moeilijkheden zat, zou een telefoontje van haar verandering kunnen brengen. Een verandering ten kwade. Ze moest de politie bellen. Ja. Dat ging ze doen. Wist ze nou maar waar hij was. Ze betwijfelde dat hij het haar had verteld. Het zou toch maar een korte trip zijn. Zouden ze bij de centrale zijn telefoontje kunnen natrekken? Jawel. Dat soort dingen deden ze daar. De centrale bellen. Ze nam de hoorn op en drukte de nul in.

Ze hing weer op.

Onmogelijk.

Ze luisterde de boodschap nog eens af.

'Mijn man zit in grote moeilijkheden,' zei ze hardop.

Ze besloot uiteindelijk toch maar de politie in Boston te bellen. Ze zou zeggen dat haar man in grote moeilijkheden zat. Maar het hardop uitspreken van die woorden had haar doen beseffen hoe hol ze klonken. Wie zou haar geloven? Wat zou ze tegen hen zeggen? Wat voor details kon ze geven? Ze zouden haar uitlachen. Of zeggen dat ze moest kalmeren. Maar ze kon niet kalmeren. Want als ze kalmeerde, zou ze misschien moeten denken aan de afgrijselijke mogelijkheid dat er helemaal geen noodsituatie was. Ze merkte dat ze in een kleine cirkel in de keuken rondliep, alsof ze die gedachte achtervolgde, en ze stond stil. Ze zou zichzelf niet toestaan zover door te denken. De gedachte kwam toch in haar op, ondanks haar inspanningen om hem te slim af te zijn: stel dat hij haar zou verlaten? Wat moest er dan van haar worden? Dat was het. Dat was de enige verklaring voor de woorden; waarom ze zo definitief klonken. Hij kwam niet meer terug. Hij had zich de laatste tijd al zo vreemd gedragen. Luisterde nauwelijks naar haar. Was afstandelijk en vergeetachtig. Kon plotseling om iets futiels in woede ontsteken. Ze wist inmiddels zeker dat hij haar voor zijn vertrek niet had verteld waar hij heen ging. Waarom ook, als hij toch niet terugkwam? Ze hoestte. De kriebel in haar keel weigerde te verdwijnen. Ze hoestte nogmaals, haalde toen een zakdoek uit de zak van haar peignoir en depte haar ogen. Was dat eigenlijk niet de meest logische verklaring?

Ze speelde de boodschap nogmaals af. Ditmaal hoorde ze op de achtergrond iets wat als een echo klonk, een spookachtige lichaamloze echo, overgebleven van een andere boodschap, bij een andere gelegenheid. De echo leek de woorden van haar man na te zeggen. De illusie van een herhaling verschafte zijn woorden een plechtigheid die haar troostte. Tot haar verbazing merkte ze dat ze huilde. Als ze hem nu belde, zou hij een hysterische vrouw horen. Hij zou haar op de vingers tikken omdat ze overhaast zulke wilde conclusies trok. Ja. Ze zou hem nog eens bellen. Maar als hij haar echt ging verlaten? Wat zou het dan nog voor nut hebben om hem te bellen? En als hij in moeilijkheden was?

Haar geest rukte zich los van beide conclusies en ze merkte dat ze om onverklaarbare redenen terugdacht aan de stem van haar man bij een andere gelegenheid, en aan een gesprek uit een ver verleden, van voor hun huwelijk. Ze was die zomermiddag vergeten dat ze samen op een heuvel hadden zitten kijken naar een regenbui die vanuit het dal langzaam op hen afkwam. Hij had haar verteld over een vriend van hem die was gedood. Een jongen die aëronautiek studeerde. Hij was er maar over doorgegaan tot in de gruwelijkste details, zodat ze niet wist wat ze van hem moest denken. Ze was vast met haar gedachten bij de komende regen geweest en had misschien, zeker in het begin, niet echt naar hem geluisterd. Het stond haar nog duidelijk bij dat ze haar mooiste jurk had aangehad, en dat ze bij het naderen van de stortbui had gedacht dat ze niet wilde dat haar jurk nat werd, maar dat het waarschijnlijk al te laat was. Toen was er iets geweldigs gebeurd. Hij had haar gekust. Na al die jaren voelde ze nog steeds de plotselinge verrassing van die kus. Zo'n intiem gebaar in het openbaar maken was hun beiden vreemd, en dat zou het altijd blijven, hoe lang ze ook in dit land zouden wonen. Toen hij haar eindelijk had losgelaten, had hij het haar verteld. 'Ik houd van je,' had hij gezegd. 'Wat er ook gebeurt, vergeet dat nooit.' Dat wist ze zeker. Ze herinnerde het zich nu weer heel goed. Precies die woorden, op precies dezelfde cadans uitgesproken als de boodschap die hij op het antwoordapparaat had achtergelaten. Met precies dezelfde zweem van romantische wanhoop. Kijk aan. Eindelijk had ze het begrepen. Hij had haar gebeld om haar iets dierbaars in herinnering te brengen, een herinnering die ze samen hadden. Ze stond zichzelf een moment van opluchting toe, en schold zichzelf vervolgens uit omdat ze zulke overhaaste conclusies had getrokken. Als hij thuiskwam, zou ze een beetje kwaad op hem zijn omdat hij zo'n dubbelzinnige boodschap had achtergelaten. Hij zou haar plagen omdat ze het zich niet meteen had herinnerd. Alles zou goed komen. En nu was ze doodmoe. De vermoeidheid vulde de leegte in haar zintuigen die haar angst had nagelaten. Maar ze was niet in staat om weer naar bed te gaan, bevreesd dat de angst in haar hoofd zou terugstromen zodra ze zich zou ontspannen en haar hoofd op het kussen te rusten zou leggen. Ze besloot een luchtje te scheppen. Ze opende de voordeur en ging op de treden van hun kleine veranda zitten wachten tot er iets gebeurde.

De lucht was onbewolkt, de maan ging onder. Ze trok haar peignoir strakker om zich heen. De straatlantaarn op de hoek vervulde de nachtlucht van een roestkleurige gloed waardoor het warmer leek dan het in werkelijkheid was. En diezelfde maan gaat boven zijn hoofd onder, dacht ze, maar toen glimlachte ze om zichzelf, want het was natuurlijk dag waar hij was, hij was immers in Boston of Washington, hij stond op het punt om ergens aan de oostkust aan boord van een vliegtuig te gaan, of in elk geval binnenkort, of hij zat op zijn minst op het vliegveld te wachten vanwege een vertraging of zo, want dat was wat hij haar aan de telefoon had verteld, dat was de reden waarom hij haar had gebeld, zodat ze zich niet ongerust hoefde te maken. Hij stapte vast op dit moment in. Daarom kon hij zijn telefoon niet opnemen. Maar waarom had hij de boodschap in het Engels ingesproken in plaats van in hun moedertaal, de taal waarin ze altijd met elkaar spraken? Ze hadden die middag op de heuvel beslist hun eigen taal met elkaar gesproken. En zonder waarschuwing begon de herinnering uiteen te vallen. Had ze haar mooiste jurk wel gedragen? Hadden ze wel op een heuvel gezeten? Had hij haar werkelijk gekust? Nee. Ze wilde er niet meer over nadenken. Hij had Engels gesproken omdat er iemand bij was toen hij de boodschap insprak. Een collega. Hij verafschuwde het om iemand de indruk te geven dat hij geheimen had, door een taal te spreken die de ander niet verstond. Zo zat het. Pas toen ze zichzelf ervan had overtuigd dat alles in orde was, kwam er een einde aan het dwangmatige heen en weer schommelen van haar lichaam. Maar ze verliet de veranda niet. Ze bleef bewegingloos zitten tot het dag werd, tot er een auto voorbijreed: een buurman op zijn dagelijkse tocht naar zijn werk. Hij zwaaide in het passeren naar haar en ze bedacht dat ze niets anders aan had dan een peignoir en een nachthemd. Ze liep terug naar binnen, deed de deur op het veiligheidsslot en ging bij de telefoon zitten wachten.

26

Ze lag op het bed en zag de zeedageraad klam en koud vanuit de hoeken de kamer binnensijpelen. Een dof licht begon de randen van de gordijnen te omspelen. Hun lange nacht was voorbij. Ze ontdekte langzaam dat de rijzende zon haar had versteend. Ze was onbeweeglijk. Ze lag met haar hoofd op zijn borst, zoals altijd. Ze hield het scheermes in haar hand, zoals altijd. Maar ze zag in dat ze het niet meer zou gebruiken. De wens om hem pijn te doen was verdwenen en ze wilde niets anders dan weer eenvoudig zijn. Was dat te veel gevraagd? Was het echt te veel? Om terug te keren naar de manier waarop anderen leefden, de gelukkigen, voor wie de illusie van een normaal leven nog werkelijkheid was? Veel dingen deden haar vanbinnen pijn. Misschien zou ze vandaag tot de ontdekking komen waarom dat was. Ze bedacht dat ze een zekere mate van zelfkennis bezat, waar ze trots op kon zijn. Er was tijd verstreken en haar ervaringen waren verdiept als ze al niet samenhangender waren geworden.

Als alternatief wenste ze een ramp, zoals de rampen die ze de avond tevoren voor elkaar hadden bedacht; pokken, de pest, een zuivere, heilige gesel waarna alles wat vooraf was gegaan in een stralend wit licht werd uitgewist, van het ene verschroeiende moment op het andere, zodat de hele wereld even ontheemd als zij zou zijn. Uiteindelijk zouden de verbrijzelde stukken zichzelf weer herschikken. Het leven zou verdergaan. Maar niemand zou terugkeren naar daarvoor, toen alles nog geordend en compleet was. Op die manier zouden ze allemaal gelijk zijn, zoals de man die naast haar lag haar gelijke was geworden. Ze bad vurig dat overal om hen heen de beschaving zou vergaan. Hoeveel beter zou dat voor hen zijn.

De fluistering van een gedachte voer door haar geest, een gevoel dat misschien hoop voor de toekomst bood. Hij was tenslotte heel attent geweest. Een heer. Hij had reukwater voor haar opgedaan. En hij kon nu niet echt naar huis. Na wat ze samen hadden gehad. Een onmetelijke tederheid overspoelde haar toen ze aan zijn woorden van liefde en aan zijn reukwater dacht, tot zijn overtredingen werden weggevaagd, en ze hem vergaf, en de steen weer vlees werd.

Hij was weer in slaap gevallen. De simpele alledaagsheid van zijn lichte gesnurk ontroerde haar. Heel zacht, om hem niet te wekken, kuste ze hem. Hij bewoog niet. Hij was haar heel dierbaar geworden. 'Wat lief,' mompelde ze.

Ze kroop onder zijn arm en bedekte hen beiden met laken en deken, en legde haar hoofd op zijn borst, wat aanvoelde alsof het daar thuishoorde.

27

Hij werd wakker maar opende zijn ogen niet. Een vrouw lag met haar hoofd op zijn borst te slapen, tegen hem aan gekropen, haar adem regelmatig en warm tegen zijn schouder. Hij bewoog niet. Hij veranderde niets aan zijn ademhaling. Hij hield zijn ogen stevig gesloten en werd slechts door een enkele gedachte in beslag genomen: kon ik mijn ogen maar opendoen en zien dat het mijn vrouw is die op zo'n intieme manier tegen me aan ligt. Hij koesterde weinig hoop dat ze hem zou vergeven. Hij kon slechts bidden dat ze door een bovennatuurlijke gebeurtenis aan hem zou worden teruggegeven, door bijvoorbeeld naast hem in dit bed te verschijnen. Als hij maar trouw genoeg was, zouden de volgende ogenblikken van zijn leven op die manier de oplossing kunnen brengen: zijn eigen bed, haar hoofd op zijn schouder. Hij deed zijn ogen open. Natuurlijk was het zijn vrouw niet.

Niet in staat om zich in te houden, verslagen door zijn eigen zwakheid, tilde hij het dek op, zoals hij ook de middag daarvoor had gedaan, en keek naar haar zoals ze daar lag te slapen. Wat hij zag was een angstaanjagende hoeveelheid bloed, wat maakte dat hij overeind ging zitten zonder zich nog om haar hoofd op zijn borst te bekommeren, om zichzelf overal te bevoelen. Haar hoofd viel naast hem op het bed. Hij ontdekte dat zijn huid relatief ongeschonden was, afgezien van de polsen, die van huid waren ontdaan, en een taai vocht afscheidden met een roze zweem. Hij raakte zijn hals aan en voelde dat de wonden daar al waren gesloten. Had ze zichzelf dan snijwonden toegebracht? Hij bekeek haar lichaam naast hem beter. Alleen de allerkleinste beschadigingen waren op haar te vinden, schrammen op haar keel en armen. Het verbijsterde hem hoe onbetekenend hun wonden waren. Het besef daagde dat het menstruatiebloed moest zijn. Nu hij het had herkend, werd de lucht vertrouwd en geruststellend, en een vreemd gevoel van triomf won het van zijn weerzin. Maar hij wilde haar niet aanraken.

Op dat moment opende en sloot ze haar vingers in haar slaap. Een kortstondige stuiptrekking en toen was het weer verdwenen. Hij keek naar de vingers, en zonder zich ertegen te kunnen verzetten voelde hij hoe ze weer bij hem binnendrong. Die kortstondige stuiptrekking van haar bebloede vingers grifte zich in zijn geheugen, en hij wist dat hij zich dat ene wat hij zeker wist van het sterven van zijn vriend – de manier waarop de vingers van zijn vriend zich op de grond hadden geopend en gesloten – nooit meer volledig accuraat zou herinneren. In plaats daarvan zou hij aan de vingers van deze vrouw denken. Hij werd overmand door een diep gevoel van verlies, gevolgd door iets wat wel opluchting moest zijn, gevolgd door de duistere zekerheid dat het doel van zijn samenkomst met deze vrouw op dit moment in vervulling was gegaan.

Hij stond met stijve ledematen op en liep naar de badkamer, waar hij zijn blaas leegde en het bloed wegwaste. Hij keek in de spiegel en vroeg zich af hoe zo'n onbetekenende wond hem voor zijn leven had kunnen doen vrezen. De wondjes op zijn rug, die op het moment van toebrengen zo bijtend en wreed waren geweest, waren veranderd in een uitslag van korstjes die kriebelden maar geen pijn deden. Zijn enige zorg was dat de korstjes er tijdens de lange thuisreis af zouden vallen en strepen bloed op zijn overhemd zouden achterlaten. Hij zou voorzichtig moeten zijn.

Met zijn polsen lag het anders. Hier en daar was op beide polsen de huid volledig weggeschuurd, en onder de aanzet van elke duim waren over het bot smalle, pijnlijke voren in het vlees gegroefd. Hij waste zich als een bezetene, biddend dat de beschadigingen eenvoudig zouden verdwijnen, wrong keer op keer het washandje uit om het dan weer met schoon water te doordrenken, en liet het warme water over zijn wonden stromen tot hij het gevoel had dat ze waren gereinigd. Hij trok stroken van een handdoek en knoopte ze met zijn tanden rond zijn polsen. Hij maakte zich ernstig zorgen bij de gedachte dat de wonden bij zijn thuiskomst niet gesloten zouden zijn. Dat ze door zijn overhemd heen zouden bloeden en dat hij het zijn vrouw meteen zou moeten uitleggen, dat zij tegen hem zou zeggen: Goeie hemel, Changiz, wat heb je nou gedaan? De gedachte dat zijn vrouw bezorgd en liefdevol op hem zou afhollen, vervulde hem van dankbare verbazing. Als hij bedacht dat zij zijn naam hardop zou zeggen, dat ze zijn naam op die manier zou roepen, met een stem vol liefde. Maar wat kon hij antwoorden?

Hij liep zacht de slaapkamer weer in. Ze sliep nog. Hij zou voor haar leven hebben gevreesd, ware het niet dat ze regelmatig ademhaalde en er vredig uitzag. Hij richtte zijn aandacht op zijn reistas, ritste hem langzaam open, omdat hij niet wilde dat het geluid haar wekte, omdat hij niets liever wilde dan vertrekken voordat zij wakker werd. Hij trok snel zijn enige schone broek en overhemd aan en propte de andere spullen win de reistas. Zijn mouwen bedekten het geïmproviseerde verband rond zijn polsen. Mooi. Hij ritste de reistas weer dicht. Intussen bedacht hij dat hij een briefje voor haar zou achterlaten. Hij had er geen behoefte aan om haar wakker te maken. Dan maar een briefje. Het leek op zijn plaats, na wat ze samen hadden doorgemaakt. Maar wat was er nog te zeggen? Er viel niets meer te zeggen. Hij moest hier weggaan en haar nooit meer terugzien. Geen ogenblik langer. Toen schoot hem te binnen dat hij geld nodig had voor benzine, en hij ging op zoek naar haar handtas, hij zocht met allengs grotere onrust de vloer en het bed af tot hij hem op de stoel bij de schrijftafel in de hoek van de kamer vond. Hij pakte de portefeuille en haalde er drie biljetten van twintig dollar uit. Hij zou haar het geld nog weleens terugsturen. Maar hij had misschien meer nodig. Hij had de vorige ochtend nog honderd dollar voor twintig liter betaald. Hij haalde de portefeuille leeg. Zij had nog de creditcards. Ze zou zo nodig vrienden kunnen bellen om haar te helpen, iets wat hij onmogelijk kon doen. Op het laatste moment vermurwde de aanblik van de lege portefeuille hem, en hij deed een van de biljetten van twintig terug, de rest stopte hij zonder te tellen in zijn broekzak. Zo. Hij was klaar. Hij ging naar huis. Zijn blik viel op haar en tot zijn ontzetting zag hij dat haar ogen open waren; ze keek naar hem.

'Moet je horen, ik heb wat geld gepakt,' zei hij. Hij voelde hoe zijn gezicht begon te gloeien. 'Ik betaal je uiteraard terug.'

Ze zei niets. De reusachtige last van een verplichting daalde op zijn schouders neer en nagelde hem vast. Nu ze wakker was, nu ze hem het geld uit haar portefeuille had zien nemen, kon hij niet meer eenvoudigweg de deur uitlopen. Hij wilde echter voorkomen dat hij haar weer aanraakte. Dat zou ze verwachten. Ze had hem in zekere zin omgekocht om haar weer aan te raken.

'Je bent kwaad op me,' zei ze.

'Uiteraard.'

'Kom hier zitten. Op het bed.'

Hij kwam niet in beweging.

'Alsjeblieft.'

Ze keek hem aan, de dekens over haar heen, haar knieën opgetrokken tot onder haar kin.

'Ik walg van je,' zei hij.

'Je vergeeft het me nooit, dat weet ik,' zei ze. 'Je walgt van me. Ga maar weg, als je dat wilt. Ik begrijp het.'

Hij ging op de rand van het bed zitten, naast haar voeten.

'Gisteravond lijkt een droom,' zei ze. 'Een droom die alleen een grote tederheid heeft nagelaten. Dat is wat ik voor je voel, weet je. Grote tederheid. Ik vraag me af of je dat begrijpt.'

Hij keek haar ongelovig aan.

'Nee,' zei hij. 'Dat kan ik me niet echt voorstellen.'

'Dat komt doordat je jouw aandeel in het geheel bent vergeten,' zei ze. 'Zo zijn we nu eenmaal. We dwingen het verleden om bij ons zelfbeeld te passen. Dat lukt zolang iedereen om je heen meewerkt.'

'Ik moest maar eens op pad gaan,' zei hij. 'Ik heb een lange rit voor de boeg.'

'Het is verschrikkelijk wat we allemaal vergeten,' ging ze verder. 'Vroeger vond ik het altijd heel droevig om te bedenken dat al onze herinneringen samen met ons sterven. Maar nu besef ik dat onze herinneringen al veel eerder sterven. Zelfs onze dierbaarste herinneringen. Onze gruwelijkste herinneringen. Het is angstaanjagend zoals ik langzaamaan verdwijn.'

'Dat zal wel,' zei hij.

Hij wilde naar het gordijn lopen en het opentrekken, om nog eenmaal die ellendige ligstoelen te zien en met eigen ogen vast te stellen dat het licht dat binnensijpelde echt van de zon afkomstig was. En dan te bedenken dat hij haar zulke vrijheden had toegestaan.

'Jij bent veel te heftig,' zei hij. 'Dat is niet goed voor je.'

Een geluid klonk, het ruisen van water door pijpen, en op een merkwaardige manier was het geruststellend. Mensen waren bezig. Gedroegen zich normaal. Trokken de wc door. Hij merkte dat hij met zijn hand ritmisch op zijn knie zat te tikken. Een nerveuze gewoonte die hem opbeurde.

'Wil je me vertellen wat je in Teheran is overkomen?' zei ze.

'Dat? Wat kun je daar nu van willen weten?'

'Alsjeblieft,' zei ze.

'Ik liep in een mensenmassa,' zei hij.

Vertel het haar dan. Maar heel kaal. Zonder emotie. Om haar te straffen voor haar monsterlijke, egocentrische verdriet.

'Iedereen die ik kende, was er,' zei hij. 'We waren studenten. We droegen spandoeken. Dood aan de sjah, dood aan Amerika. Dat soort dingen. Mijn vriend kreeg een kogel door zijn keel.'

Hij hoorde hoe zijn stem onder het praten veranderde, van kalme afstandelijkheid naar iets anders, met een hapering, en hij verafschuwde haar omdat ze het hoorde.

'Je hield van hem,' zei zij. Haar stem was merkwaardig kalm en vlak. 'Je houdt nog steeds van hem. Er vloeide bloed. Je schreeuwde en je liet je op hem vallen en riep zijn naam.'

'Zo was het niet.'

'Natuurlijk niet,' zei ze. 'Niets is ooit wat het was.'

'Niemand die de lijken telde,' zei hij. 'Geen journalisten, geen monumenten en geen toespraken. Heel wat anders dan jullie Amerikanen met je gejammer en je videobeelden.'

'Je hebt geluk gehad,' zei ze.

'Ja, geluk.'

Tot zijn eigen verrassing zag hij zijn hand bewegen tot die de hare bedekte. Hij kneep er vriendelijk in, zij het zonder emotie.

'Ik zal je nooit vergeten,' zei hij.

'Je bent me al vergeten.'

Ze trok haar hand weg.

Afgewezen, geïrriteerd door haar gebrek aan medewerking, stond hij op. Ze strekte haar armen naar hem uit, trok hem omlaag en kuste hem op de mond. Hij voelde hoe ze aan zijn gulp friemelde, zo snel, zo snel, zo onbetamelijk. Laat ze maar haar gang gaan, dacht hij. Hij had niets meer te verliezen. Maar zijn gebrek aan zelfdiscipline vervulde hem met afschuw en hij duwde haar op het bed terug en deed een stap achteruit. Zijn enige schone overhemd.

'Nee,' zei hij.

Hij zorgde dat hij buiten haar bereik kwam en graaide zijn spullen bijeen.

'Vind je me nog steeds mooi?'

Hij keek naar haar, breekbaar, niet langer een bedreiging, niet langer met haar handen aan zijn edele delen. Dat kon hij nog wel voor haar doen.

'Ja,' zei hij.

Een pauze volgde, een balans, waarin hij het gevoel had dat hij de ene of de andere kant uit kon vallen, haar in zijn armen kon nemen of naar haar kon uithalen. Ze zag eruit of ze bereid was zich te laten slaan. Of ze ernaar verlangde. Maar nee. Hij keek voor de laatste keer van haar weg en vertrok.

Eenmaal buiten de deur begon hij met gezwinde pas door de gang te lopen, daarna zette hij het bijna op een rennen, met zijn reistas tegen zijn schenen bonkend. De route naar de foyer leek langer dan hij zich herinnerde. De nummers op de kamerdeuren verschenen, verdwenen en verschenen weer. Hij stelde zich voor dat zij achter hem aan rende, zijn geurspoor volgend. Ze was van hun bed overeind gesprongen en rende nu 'kom terug, kom terug' roepend achter hem aan. Hij zag haar silhouet in de schemering aan het eind van een gang; angstig bleef hij stilstaan, voordat hij weer wegrende. De gedaante riep niet naar hem. Misschien was het iemand anders, een spook. Of niemand. Een blusapparaat. Tot zijn verrassing merkte hij dat hij in de foyer stond.

De man zat weer achter de balie op zijn kruk rond te

draaien, dezelfde die hem de avond tevoren een restaurant in het stadje had aangeraden. Hij voelde zich een ogenblik gedesoriënteerd voordat hij met woede en verontwaardiging werd vervuld.

'Hoor eens,' zei hij, verrast door de bevelende klank van zijn stem. 'Hoe kwam u er eigenlijk bij om me naar dat restaurant te sturen?'

De man op de kruk keek verbijsterd.

'Het is de beste tent van de stad,' zei hij.

'De beste tent van de stad. Ik moest er als een haas vandoor om niet in elkaar te worden geslagen.'

Het gezicht van de man plooide zich tot een uitdrukking van zo'n diepe geschoktheid dat het iets kunstmatigs kreeg, een schijnvertoning. De stellige overtuiging kwam in hem op dat deze man hem erin had laten lopen, dat hij er op de een of andere manier verantwoordelijk voor was.

'Ja, ik moest er als een haas vandoor, en mijn portefeuille is blijven liggen. Kijk nou maar niet zo geschokt,' zei hij.

'Maar dat is verschrikkelijk,' zei de man. 'O, nee toch. We halen er de politie bij.'

'Dat is niet nodig,' zei hij. 'Ik regel het zelf wel.'

'Regelt u het zelf?'

'Ja, ik regel het zelf.'

'Juist, ja,' zei de man achter de balie.

Een ogenblik keek hij verdwaasd, op zoek naar iets om te zeggen; toen ontspanden zijn gelaatstrekken zich. 'Hoe is uw verblijf bij ons u bevallen?' vroeg de man.

Zijn gezicht had inmiddels de onderdanige, zogenaamd vriendelijke uitdrukking aangenomen van iemand uit de dienstensector. Misschien kon hij hem om hulp vragen. Om echt verband, bijvoorbeeld. Maar hij schrok ervoor terug om zijn noden aan deze man, of aan wie dan ook, te openbaren. Het was in elk geval onmogelijk uit te leggen. Als je al ooit wat dan ook kon uitleggen.

'Uitstekend,' zei hij. 'Heel goed. Dank u.'

Hij aarzelde, en ging toen verder.

'Er is een vrouw in de kamer,' zei hij. 'Zij komt wat later naar buiten. U mag haar niet storen tot ze klaar is voor vertrek. Is dat goed?'

Hij haalde een van haar biljetten van twintig uit zijn zak en legde die op de balie.

'Jawel, meneer,' zei de man. 'Dat komt wel goed. De gasten hoeven pas om twaalf uur uit te checken.'

Hij keek naar de man op de kruk. Had hij genoeg voor haar gedaan? Natuurlijk had hij genoeg voor haar gedaan, meer dan van een man kon worden verwacht. Hij was overtuigd van de rechtschapenheid van zijn daden. Hij haalde zijn autosleuteltjes uit zijn zak, hun gewicht stemde hem dankbaar, en met de reistas losjes zwaaiend in zijn andere hand ging hij op weg naar zijn auto. Dezelfde zon als altijd scheen helder uit de hemel neer. Hij ontsloot de kofferbak en gooide de reistas erin. Hij stapte in en bleef een ogenblik van zijn eenzaamheid genieten.

Hij startte de motor en liet hem even stationair draaien terwijl hij onder zijn zitting naar zijn muziek zocht. Het geluid stelde hem op zijn gemak. Alles zou in orde komen. Terwijl hij wegreed, voelde hij hoe zijn huid laag voor laag terugkeerde en hij wist dat hij binnenkort weer zichzelf zou worden. Dat moest hij geloven.

Na enige tijd merkte hij dat hij aan zijn jeugd dacht, voordat hij hopeloos verwesterd was, voordat hij zo'n onlosmakelijk deel van deze cultuur was geworden dat hij zichzelf er nauwelijks in kon terugvinden. Zijn moeder had op een klein brandertje op de vloer van hun keuken gekookt. Ze liep het liefst op blote voeten. Elke avond had zijn vader naar zijn zoon geluisterd die uit de Koran reciteerde. Toen hij klein was, deden zijn zussen hem in bad. Als kind kon hij vanaf het platte dak van hun huis naar de geluiden van bussen en ander verkeer en naar de kinderen op een speelplaats een paar straten verderop zitten luisteren. Hij graaide naar deze losse eindjes herinnering alsof ze zijn laatste hoop waren om zichzelf te hervinden. Zijn rug stond in vuur en vlam van zo'n heftige jeuk dat hij de auto wilde stilzetten om zich te kunnen krabben tot het over was. Telkens als hij aan haar dacht, werd hij overspoeld door een golf van walging tot hij dacht dat hij erin zou verdrinken. Maar hij verdronk niet. Hij stopte niet. En naarmate de kilometers vergleden en hij haar en de herinnering aan haar verder achter zich liet, begon hij zich weer op zijn gemak te voelen. Haar eigen verwarde verlangens waren tenslotte het probleem geweest. Niet de zijne. Hoe had hij het kunnen weten? Hij had geprobeerd aardig voor haar te zijn. Hij reed terug naar het restaurant en vond het gesloten. Hij zou ze later, vanaf de weg bellen. Zijn portefeuille zou worden teruggestuurd. Alles zou in orde komen. Honderd kilometer verderop begon hij zich al minder zorgen over het verleden te maken, en hij stelde zich in plaats daarvan de toekomst voor waarheen hij op weg was: zijn vrouw, zijn huis, de man die hij was geweest. Wat kon hij in vredesnaam tegen zijn vrouw zeggen? Wat kon hij ooit tegen haar zeggen? Toen de weg oostwaarts boog, was hem een aannemelijke leugen te binnen geschoten. Tegen de tijd dat hij thuis was geloofde hij hem bijna zelf.

28

Toen hij was vertrokken, voelde ze zich minder treurig dan ze had verwacht. Maar ze wilde zich treurig voelen. Ze wilde het verdriet om een scheiding weer voelen. Ze lag op bed en dwong zichzelf om het te voelen, maar ze merkte dat haar gedachten zichzelf voortdurend onderbraken, tot haar wens om te treuren volkomen onder de voet werd gelopen door een opgewekt gevoel van bevrijding. Het was mogelijk dat haar vermogen om verdriet te voelen zo volledig was uitgeput, dacht ze, dat er geen hoop op vernieuwing meer was. Net als een postduif, dacht ze. De dingen bereiken een bepaald punt waarna het hele systeem instort en verdwijnt. Daar had ze weleens iets over gelezen.

Ze wilde zichzelf reinigen. Onder de douche dacht ze verdoofd na over alles wat vloeit. Water. Tijd. Bloed. Vloeien. Een raar woord. Kleine klonters bloed kwamen uit haar gevallen en bleven aan haar benen plakken. Ze boende tot haar huid niet meer van haar was. Toen stapte ze onder de douche vandaan, een lege kamer in. Omdat ze het dierbare gevoel van beschaving en properheid niet meer wilde kwijtraken, ritste ze een van haar tassen open en rommelde door de zakken tot ze een voorraadje verband en tampons vond. Ze merkte ook dat er heel veel kleren in de tas zaten, in allerlei stijlen. Ze kon vandaag alles zijn wat ze wilde. Slet. Bibliothecaresse. Overweldigd door het gewicht van de keuzemogelijkheden liet ze zich naakt op de stoel bij de schrijftafel zakken. Ze verlangde naar een sigaret, al had ze nooit gerookt. Ze trok de la open en haalde er de brief uit die ze op de avond van haar aankomst had geschreven, zocht een pen op, en begon opnieuw.

'Schat,' schreef ze.

'Mijn bedoelingen zijn me een raadsel geworden. Als ik te veel over het onderwerp nadenk, kom ik in verraderlijke wateren terecht. Ik ben een grote zeeschildpad geworden die de diepten van duistere verten doorgrondt, maar zich op land met de grootste moeite centimeter voor centimeter voortbeweegt. Ik zal je nooit kunnen vergeten. Ik zal nooit kunnen vergeten dat ik je weduwe ben. Ik voel hoe ik verdrink in het ogenblik van ons laatste gedeelde verdriet. Telkens opnieuw. Jij zou tegen me zeggen dat ik verder moet. Dat probeer ik ook. En toch merk ik dat ik weer terug ben, terug bij dat eerste, gruwelijke ogenblik toen ik wist dat je niet zou terugkomen. Mijn leven is een reeks onophoudelijk, luisterrijk weerkeren naar dat ene moment geworden. Ieder ander gaat verder, van mij vandaan, beslissing na beslissing, handeling na handeling, tot ik alleen met jou achterblijf. Liefje. Ik wil je iets vertellen. Ik heb gisteren een man ontmoet. We hebben gevrijd. En nu is hij weer verdergegaan. Onze tijd hier samen staat hem al niet meer zo helder voor de geest, en ik ben hier weer helemaal alleen met jou, waar we zijn begonnen, terwijl hij naar huis vlucht met mijn geld op zak, zo snel mogelijk naar huis vlucht, terug naar zijn vrouw, zodat zij hem kan helpen onthouden wie hij is, telkens opnieuw, tot hij alleen wordt achtergelaten.'

Ze legde de pen neer, pakte hem toen weer op.

'Dan weet je dat ook,' schreef ze.

Ze legde de pen neer.

Ze liep naar het bed, haalde het af en legde de lakens op zo'n manier in een grote prop op de grond dat de vlekken minder opvielen. Ik moet een fooi achterlaten, dacht ze. Zwaar werk, hotelkamers schoonmaken. Ze verzamelde de handdoeken en gooide ze op de stapel. Daarbij ontdekte ze haar beha. Ach, ben je daar, dacht ze en trok hem aan. Ze liep naar de kast en zag haar blauwe mantelpakje hangen, een van haar favorieten. Er zat een vlek op de rok. Ze depte die met een vochtig papieren zakdoekje, tot ze tevreden was. Op de blouse zat een lange, gele vlek vlak onder de kraag, dus ze knoopte het jasje dicht waardoor hij minder opviel. De panty was hopeloos kapot, er waren vlak bij het kruis grote gaten in getrokken. Ze kleedde zich met zoveel zorg aan als onder de gegeven omstandigheden maar mogelijk was. Ze besloot haar schoenen zonder panty aan te trekken. Haar benen waren net geschoren. Ze zouden er niet onverzorgd uitzien. Ze haalde haar vingers door haar haren. Alles zou in orde komen. Ze haalde het laatste biljet van twintig uit haar tas en legde het op de tafel onder de sleutel. Ze stopte de brieven die ze had geschreven in haar handtas en deed hem dicht. Ze keek even naar haar tassen. Toen liep ze naar de deur, opende hem, en verliet de kamer.

Een paar minuten later bevond ze zich boven aan de ijzeren trap die tegen het klif aangekleefd zat. Hier hadden ze elkaar ontmoet. Waarom was ze hierheen gekomen? Wat had ze van hem verwacht? Een oplossing. Een verklaring. Begrip. Ze deed een poging om het juiste woord te vinden. Ze wist dat ze het nooit zou vinden. Dus hield ze op met nadenken en keek in plaats daarvan naar de golven en dacht aan alle mogelijkheden die in de toekomst voor haar openlagen. Ze kon haar einde tegemoet vliegen. Of ze kon hem naar zijn huis volgen. Proberen om een manier te vinden om bij hem te zijn. Ze hadden samen zoveel doorgemaakt. Om zijn wilde hoer te zijn en hem haar te laten slaan als hij daar zin in had, om alles wat zij hem had aangedaan goed te maken. Ze kon hem overhalen. Hij had een zwakke kant. Of ze kon hier blijven. In deze stad. Ze klemde zich aan de reling vast, liet hem toen los en stond zonder houvast. Ze voelde hoe de wind aan haar trok. Om hem gunstig te stemmen haalde ze de twee brieven die ze had geschreven uit haar tas en scheurde ze zorgvuldig in kleine stukjes die ze met een abrupt gebaar over de rand gooide, waar ze onmiddellijk werden meegevoerd, hoog boven haar hoofd, en vervolgens wegvlogen.

Met een verlicht gemoed keek ze, op zoek naar antwoorden omlaag naar het strand, naar het stadje. Algauw zag ze in de verte een vrouw met een bloedrode sjaal moeizaam door het zand in haar richting rennen. Nee maar, dat ben ik, dacht ze, dat ben ik, ik ren door het zand. Ik ren straks naar de voet van deze trap, net zoals ik gisterochtend door het zand rende. Ditmaal zal ik op mezelf wachten. Ditmaal zal ik kalm zijn. Ik zal rustig op haar wachten, boven aan deze trap, en als ze bij me is, zal ik haar omhelzen.

DIEMEN